普通高等教育"十一五"国家级规划教材

北大版对外汉语教材·基础教程系列

Boya Chinese

博雅汉语

中级
冲刺篇 I

李晓琪　主　编
赵延风　编　著

北京大学出版社
PEKING UNIVERSITY PRESS

图书在版编目(CIP)数据

博雅汉语. 中级冲刺篇. I/李晓琪主编. —北京：北京大学出版社, 2005.2
(北大版新一代对外汉语教材·基础教程系列)
ISBN 978-7-301-07531-9

Ⅰ.博…　Ⅱ.李…　Ⅲ.汉语–对外汉语教学–教材　Ⅳ.H195.4

中国版本图书馆 CIP 数据核字(2004)第 057337 号

书　　　名：博雅汉语　中级·冲刺篇 I
著作责任者：李晓琪　主编　赵延风　编著
责 任 编 辑：沈浦娜　spn@pup.pku.edu.cn
标 准 书 号：ISBN 978-7-301-07531-9/H·1031
出 版 发 行：北京大学出版社
地　　　址：北京市海淀区成府路 205 号　　100871
网　　　址：http://www.pup.cn
电　　　话：邮购部 62752015　发行部 62750672　编辑部 62752028　出版部 62754962
电 子 邮 箱：zpup@pup.pku.edu.cn
印 　刷 　者：北京中科印刷有限公司
经 　销 　者：新华书店
　　　　　　787毫米×1092毫米　16 开本　16.25 印张　422 千字
　　　　　　2005 年 2 月第 1 版　2009 年 9 月第 7 次印刷
定　　　价：60.00 元 (附 1 张 MP3)

目 录

前 言

　　语言是人类交流信息、沟通思想最直接的工具，是人们进行交往最便捷的桥梁。随着中国经济、社会的蓬勃发展，世界上学习汉语的人越来越多，对各类优秀汉语教材的需求也越来越迫切。为了满足各界人士对汉语教材的需求，北京大学一批长期从事对外汉语教学的优秀教师在多年积累的经验之上，以第二语言学习理论为指导，编写了这套新世纪汉语精品教材。

　　语言是工具，语言是桥梁，但语言更是人类文明发展的结晶。语言把社会发展的成果一一固化在自己的系统里。因此，语言不仅是文化的承载者，语言自身就是一种重要的文化。汉语，走过自己的漫长道路，更具有其独特深厚的文化积淀，她博大、她典雅，是人类最优秀的文化之一。正是基于这种认识，我们将本套教材定名为《博雅汉语》。

　　《博雅汉语》共分四个级别——初级、准中级、中级和高级。掌握一种语言，从开始学习到自由运用，要经历一个过程。我们把这一过程分解为起步——加速——冲刺——飞翔四个阶段，并把四个阶段的教材分别定名为《起步篇》（Ⅰ、Ⅱ）、《加速篇》（Ⅰ、Ⅱ）、《冲刺篇》（Ⅰ、Ⅱ）和《飞翔篇》（Ⅰ、Ⅱ、Ⅲ）。全套书共九本，既适用于本科的四个年级，也适用于处于不同阶段的长、短期汉语进修生。这是一套思路新、视野广，实用、好用的新汉语系列教材。我们期望学习者能够顺利地一步一步走过去，学完本套教材以后，可以实现在汉语文化的广阔天空中自由飞翔的目标。

　　第二语言的学习，在不同阶段有不同的学习目标和特点。《博雅汉语》四个阶段的编写既遵循了汉语教材的一般性编写原则，也充分考虑到各阶段的特点，为求较好地体现各自的特色和目标。

起步篇

　　运用结构、情景、功能理论，以结构为纲，寓结构、功能于情景之中，重在学好语言基础知识，为"飞翔"做扎实的语言知识准备。

加速篇

　　运用功能、情景、结构理论，以功能为纲，重在训练学习者在各种不同情景中的语言交际能力，为"飞翔"做比较充分的语言功能积累。

冲刺篇

以话题理论为原则，为已经基本掌握了基础语言知识和交际功能的学习者提供经过精心选择的人类共同话题和反映中国传统与现实的话题，目的是在新的层次上加强对学习者运用特殊句型、常用词语和成段表达能力的培养，推动学习者自觉地进入"飞翔"阶段；

飞翔篇

以语篇理论为原则，以内容深刻、语言优美的原文为范文，重在体现人文精神、突出人类共通文化，展现汉语篇章表达的丰富性和多样性，让学习者凭借本阶段的学习，最终能在汉语的天空中自由飞翔。

为实现上述目的，《博雅汉语》的编写者对四个阶段的每一具体环节都统筹考虑、合理设计。各阶段生词阶梯大约为 1000、3000、5000 和 10000，前三阶段的语言点分别为基本覆盖甲级、涉及乙级——完成乙级，涉及丙级——完成丙级，兼顾丁级。飞翔篇的语言点已经超出了现有语法大纲的范畴。各阶段课文的长度也呈现递进原则：600 字以内、1000 字以内、1500—1800 字、2000—2500 字不等。学习完《博雅汉语》的四个不同阶段后，学习者的汉语水平可以分别达到 HSK 的 3 级、6 级、8 级和 11 级。此外全套教材还配有教师用书，为选用这套教材的教师最大可能地提供方便。

综观全套教材，有如下特点：

针对性：使用对象明确，不同阶段采取各具特点的编写理念。

趣味性：内容丰富，贴近学生生活，立足中国社会，放眼世界，突出人类共通文化；练习形式多样，版面活泼，色彩协调美观。

系统性：词汇、语言点、语篇内容及练习形式体现比较强的系统性，与 HSK 协调配套。

科学性：课文语料自然、严谨；语言点解释科学、简明；内容编排循序渐进；词语、句型注重重现率。

独创性：本套教材充分考虑汉语自身的特点，充分体现学生的学习心理与语言认知特点，充分吸收现有外语教材的编写经验，力求有所创新。

我们希望《博雅汉语》能够使每个准备学习汉语的学生都对汉语产生浓厚的兴趣，使每个已经开始学习汉语的学生都感到汉语并不难学。学习汉语实际上是一种轻松愉快的体验，只要付出，就可以快捷地掌握通往中国文化宝库的金钥匙。我们也希望从事对外汉语教学的教师都愿意使用《博雅汉语》，并与我们建立起密切的联系，通过我们的共同努力，使这套教材日臻完善。

我们祝愿所有使用这套教材的汉语学习者都能取得成功，在汉语的天地自由飞翔！

最后，我们还要特别感谢北京大学出版社的郭荔编审和其他同仁，谢谢他们的积极支持和辛勤劳动，谢谢他们为本套教材的出版所付出的心血和汗水！

李晓琪

2004 年 6 月于勺园

lixiaoqi@pku.edu.cn

使用说明

——写给使用本书的老师和学生

本书的目的

本教材是《博雅汉语》系列教材的中级部分——冲刺篇 (I)，适合于已经进入中级阶段，向高级阶段冲刺的汉语学习者使用。编写者希望达到以下几个目的：

1. 为学习者提供既隽永典雅、活泼风趣，又完全符合语言学习规律的学习材料。

2. 使学习者通过主课文、副课文、语素扩展等环节的学习掌握汉语丙级词汇，学习者最终的词汇量达到 5000—5500 左右。

3. 帮助学习者在学习中高级汉语语法结构的同时，清除汉语初级、中级语法中遗留下来的难点。

4. 帮助学习者循序渐进地掌握中高级成段表达中叙述、描述、支持、反驳等功能项目。

5. 使学习者在语言学习的同时，自然而然地接触并了解包括中国人思维方式在内的文化因素。

6. 为准备参加初中级 HSK 和高级 HSK 的学习者打下坚实的基础。

7. 为教师授课和学习者自学提供最大的方便，将教师备课所需内容（如生词讲解等）放在教材中解决，使即使是初次使用本书的教师，也不必花太多的时间准备。

本书的特点

为完成上述目的，针对中级阶段教与学的特点，本书采用话题理论进行编写，同时注意到语言点（词汇和语法）、功能项目和文化因素的有机融合。本书具有以下特点：

1. 全书以独特的视角，由人们日常生活中的喜怒哀乐出发，逐渐将话题拓展到对人际、人情、人生、大自然、环境、社会、习俗、文化等方面的深入思考，其中不但涉及中国古今的不同，而且还讨论东西文化的差异，视野开阔，见解深刻，又不乏幽默感，使学习者在辛苦的语言学习过程中，好像和一位睿智而有趣的朋友相伴，在学习语言中，受到中国文化潜移默化的熏陶。

2. 由于编者是任教多年的对外汉语教师，非常了解语言学习的内在规律，

每一篇课文的语料选择又完全符合语言教学的要求,中级阶段应学词语(以丙级词为主)和语言点(以丙级语言点为主,兼顾丁级)被有效覆盖并有机融合到课文中,同时,教材的"综合练习"部分抓住趋向补语、汉语虚词、把字句等初中级的难点各个突破,将会给学习者打下坚实的语法基础。

3.教材在以话题为主线选材的同时,也特别关注中高级成段表达中叙述、描述、支持、反驳等功能项目的有机融合,有经验的教师不难发现,这些功能项目已经被由浅到深巧妙地安排在每一课中。

4.教材中的每一课都按照实际教学环节进行编排,"预习部分"新颖实用,使"预习"这一环节有的放矢;课文部分的"注释"可以帮助学习者清除文化障碍;"生词部分"不但有中英文详细的解释,而且大部分的生词都有精心挑选的例句,使词语的语义和用法得以充分体现,从而可以大大节省学生查词典和教师备课的时间。所有这一切,必将给教师组织教学和学习者自学带来极大的方便。

本书的使用

根据学生水平,编写者建议每篇课文用8-10学时完成(包括副课文的阅读和课堂讨论)。下面简要说明每个教学环节设置的意图,并对教学步骤提出一些建议:

1．预习

教材的"预习"部分是为了督促学生进行有效的预习而设置的,学生能够完成相关表格或空格的填写、简要回答相关问题即可。通过预习,学生一方面可以熟悉课文内容,与此同时,也可以初步接触到课文的生词。

2．课文的展开和课堂练习

课文的展开包括生词的讲解、课文的精读和语言点的解释。

◆生词有中英文注释,并配有大量例句。中文注释放在上面,是为了让学生逐渐摆脱对母语的依赖。生词的讲解中,一定要注意训练学生通过中文注释和例句把握词意的能力,要特别强调词语的搭配和使用。为巩固词语的学习,可以让学生在课堂或课后做"词语练习",这部分内容也可以用于课堂默写(代替听写)。

◆对课文进行精读,可以以"预习部分"的题目为线索,使学生在进一步掌握生词和理解课文内容的基础上,逐渐可以复述课文,并且初步接触课文里语言点的用法。

◆语言点的讲解,最好在学生已经接触到课文中相关的句子之后进行。讲解要简单明了，避免使用太多术语。为巩固语言点的学习，可以让学生在课堂或课后做"语言点练习"，必要时可以增加"造句"的数量。

*特别提示：根据学生水平和课时长短，一篇课文可以分成两个部分进行。

3．课后综合练习

课文的综合练习一般包括三部分内容：

◆结合课文中出现的句子，对汉语中的语法难点进行复习。这部分内容是学生在使用汉语中容易出现"化石化错误"（水平很高后仍然出现的错误）的难点，因此要反复练习，请教师在教学中，不断提醒学生注意，并给学生练习的机会，不能指望一蹴而就。

◆培养学生成段表达能力。这部分的题目，常常有多个，教师可以根据教学情况有所取舍，有的可以口头完成，有的可以作为书面作业。但是无论采用何种形式，都要求是限制性表达，要求先模仿正确的格式，注意句子之间的连接，要循序渐进，避免脱离教学目的的随意表达。

◆副课文阅读。这部分内容在重现主课文生词的同时，培养学生的阅读能力，并拓展讨论的话题。文章之后一般都有若干讨论题目，教师可以根据实际教学情况有所取舍。

以上教学步骤设计只是编写者的一些建议，有经验的教师完全可以使用自己的方法，更有创意地使用本教材。在教材使用中如有其他问题，欢迎讨论切磋。

特别说明

本教材从最初着手到最后成书，历时3年多，书稿完成后，在北京大学对外汉语教育学院的3个中高级班试用了两个学期，根据教学中的反馈意见，编者不断进行修改，从语言点编排到练习设计，从中文注解到英文释义，都反复打磨、力求完善。为了使教材更加赏心悦目，出版社在版式设计和插图的选择上也精益求精。现在这本书终于正式出版了，感谢所有为它付出心血的人们！如果它确实可以给学习者学习和教师教学提供方便的话，那么，所有的付出都是值得的。

赵延风

2004 年 12 月于北京大学

wind@pku.edu.cn

第1课　名字的困惑

预习

这一课是关于一个中国人到美国后，她的名字给她带来的一些麻烦和一些有趣的事情。请你预习课文，并根据课文内容填空，看看课文的生词表里，有没有你需要的词语：

▷ 1　作者的名字叫 _____，刚到美国的时候，她去学校_____，老师问她叫什么名字。那时候，她的英文不太好，说话_____的，只好把入学通知书拿出来给老师看。

▷ 2　老师看了以后很_____，他把作者的名字叫成了_____，让作者感到_____。

▷ 3　后来，作者在纽约一家老人_____工作，又有人把她叫作"陈"，她感到很_____，后来才知道，那个人以为所有的中国人都_____"陈"。

▷ 4　作者_____以后，开始给没有出生的孩子_____名字。英文名字叫_____，中文名字叫_____。

▷ 5　没想到_____是个男孩子的名字，而且回到中国后，这个名字听起来好像中文的"烂泥"(lànní mud)。

▷ 6　这样，作者_____起的名字，变成了一个让人_____的笑话。

课文

名字的困惑

　　这麻烦**是**10年前开始**的**。记得当年刚到美国，到学校去报到，进门后老师问我叫什么名字，那时我的英文还很糟，不懂几个英文词，只好把入学通知书拿出来给他看。谁知道他看了半天不出声，我不由得心里发毛，终于忍不住用仅会的几个英文词结结巴巴地问："什么？"

　　"你的名字叫做你？"(Your name is *You*?)他困惑地问，我听了莫名其妙。

　　"你叫做 YouHasu？"他又问。

　　什么？！我叫徐幼华，按照英文的习惯，姓要放在名后，读幼华徐－ YOUHUA XU。到了他的嘴里，竟成了"YouHasu"！

　　他大概也看出自己说得不对，**连忙**很有礼貌地问我："请问你的名字怎么念？"

　　"幼华徐"我用标准的普通话教了他几遍，他仍是"YouHasu"，我只好放弃。

　　然而，麻烦**并没有**到此结束。后来不论我到哪里，只要报上姓名，美国人就目瞪口呆。好奇的会叫你再教他一遍，怕麻烦的**干脆**就叫我"你小姐"(Miss You)，因

为"幼"字的汉语拼音正好跟英文的"你"字的拼写相同。

还有一次更可笑。那年我在纽约曼哈顿一家老人疗养院工作，一天，我正在病房里，忽然听到有人叫着"陈，陈"从远处走过来，我觉得很纳闷，因为这层楼里除了我，一个亚洲人也没有，她在叫谁呢？没想到声音到了我跟前停住了，"哈，原来你在这里，怎么不答应我？"抬头一看，只见一个漂亮的黑人妇女站在我面前，她笑着把一朵粉红色的康乃馨别在我的胸前，说："今天是母亲节，每人一朵。过去时，现在时，将来时的母亲，人人有份儿。"

"但是我不姓陈啊。"我以为她认错了人。

"那你姓什么？"

"我姓徐。"

"喔！"她愣了一下，"你们中国人不是都叫陈什么吗？"说完她哈哈大笑。也不怪她，我们不也有这样的概念吗？韩国人一定是金什么，日本人都是什么子、第几郎，东欧人是什么什么斯基，南美洲来的**不是荷西**，**就是**玛丽雅。想到这里，我自己也忍不住笑了起来。

几年以后结婚怀孕，要为孩子起名字。早早就得到朋友的警告，除了写入出生证的英文名字外，一定要为孩子另起一个中文名字，因为国内的老人念不来英文。

超声波看出来是女婴，我起好了中文名字，叫汉云，意思是汉唐飘过来的一片云。英文名，一直还没想出来。有天看电视，见屏幕上打出一个名字LENNIE。先生问这个如何？ 把名字念了两遍，听起来不错，中文译音读"莲妮"，也很美，就定了。等到孩子抱回家来，美国邻居、友人都来祝贺，问过名字后，抱起婴儿，竟都不约而同地说："多可爱的胖小子！"我们连忙更正：" 不是啦，这是个女孩。"他们都很惊讶："LENNIE不是男孩的名字吗？"这还不是最糟的，女儿到了我父亲手里，他左看右看，自问自答："孩子呀，你怎么这么胖啊？你叫什么名字？莲妮？唉呀，叫什么不好，要叫烂泥，还要姓朱，唉呀呀！"①

广东人常说"不怕入错行，最怕起错名"。但是多少父母费尽心机起的好名字，到了国外，译成另一种语言，却很可能变成一个让人啼笑皆非的笑话。

(作者徐幼华，根据教材需要有删节和改动。)

注 解

① "孩子呀，你叫什么名字？莲妮？唉呀，叫什么不好，要叫烂泥，还要姓朱，唉呀呀！"

孩子的英文名字LENNIE翻译成中文后是"莲妮"，意思是"像莲花(lotus)一样美丽的女孩"，看上去是个很美的名字，可是听起来和"烂泥"(lànní mud)很像，而且孩子的姓"朱"又和"猪"(zhū pig)同音，这样孩子的名字听起来好像"猪烂泥"(a pig in the mud)，完全变成了一个让人啼笑皆非的笑话。

生词

1　报到　动词
bàodào
向有关部门报告自己已经到了
report for duty, register
★ 新生已开始报到。

2　糟　形容词
zāo
很不好
awful, terrible
★ 他的数学／经济情况／身体很糟*。
★ 糟了，我把钥匙锁在房间里了。

3　不由得　副词
bùyóude
不能控制自己
cannot help
★ 电影太感人了，她不由得流下泪来。

4　发毛
fā máo
感到害怕或不安
be scared；be upset
★ 心里发毛

5　结结巴巴
jiē jie bā bā
(说话)不连贯
stammer；stutter
★ 他的汉语（说得）结结巴巴的，一点儿都不流利。
★ 他这个人说话总是结结巴巴的，所以别人给他起了个外号叫，"结巴"。

6　困惑　形容词
kùnhuò
不理解，不肯定
feel puzzled
★ 感到很困惑

7　莫名其妙　成语
mò míng qí miào
事情很奇怪，让人难以理解
be unable to make head or tail of something；feel confused
★ 他的话让我（觉得）莫名其妙。

8　竟　副词
jìng
竟然，居然。表示没有想到时一种惊讶的口气。
unexpectedly
★ 他在北京呆了三年，竟没有去过颐和园。

**9* 连忙　副词
liánmáng
马上
hurriedly, hastily
★ 听说明天有听写，他连忙准备起来。

---

* 用斜线隔开的斜体字，表示斜体字部分可以互换成不同的句子。

** 如果生词前标有"*"，说明它也是这一课的语言点。

5

10 放弃 （动 词）
fàngqì
由于某种原因丢掉或不再做某事
abandon; give up

★ 由于经济方面的原因，他不得不放弃了出国留学的计划。
★ 减了几个月的肥，一点儿效果都没有，我决定放弃。

11 目瞪口呆 （成 语）
mù dèng kǒu dāi
非常吃惊，瞪着眼睛说不出话来
be filled with shocked wonder

★ 看着电视上飞机撞向大楼的情景，全世界的人都目瞪口呆。

12 好奇 （形容词）
hàoqí
对还不了解的新鲜事物有兴趣
be curious

★ 小孩子对什么都感到很好奇。

13* 干脆 （形容词）
gāncuì
痛快；不麻烦
simply; directly; bluntly, clear-cut

★ 小王办事很干脆。
★ 电话里说不清，干脆去一趟。

14 拼写 （动 词）
pīnxiě
用字母书写
spelling

15 疗养院 （名 词）
liáoyǎngyuàn
convalescent hospital

16 纳闷 （形容词）
nàmènr
觉得奇怪，多用于口语
feel puzzled

★ 他这么一个有实力的选手居然放弃了比赛，真让人纳闷。

17 康乃馨 （名 词）
kāngnǎixīn
carnation

★ 一朵康乃馨　一束康乃馨

18 别 （动 词）
bié
用别针等把一样东西固定在纸、布等东西上
pin

★ 他们把校徽别在胸前。

19 有份儿
yǒu fènr
应该得到或承担其中的一部分
have a share

★ 这些礼物人人都有份儿。
★ 工程出了问题，要承担责任，我也有份儿。

20　愣　动词
lèng
因为惊讶而发呆
stop in one's tracks

★ 听了我的话，他愣住了／了一下。

21　概念　名词
gàiniàn
concept

★ 爱情和婚姻是两个不同的概念。

22　怀孕
huái yùn
pregnant

★ 她怀孕五个月了。

23　警告　动词
jǐnggào
提醒；使警惕
warn, caution

★ 政府警告国民不要到战区旅行。

24　超声波　名词
chāoshēngbō
ultrasonic wave

★ 做超声波检查

25　屏幕　名词
píngmù
screen

★ 电视屏幕　电脑屏幕

26　婴儿　名词
yīng'ér
非常小的孩子
baby; infant

27　不约而同　成语
bù yuē ér tóng
事先没有商量而彼此行动相同
take the same action or view
without prior consultation

★ 她一讲完，大家都不约而同地鼓起掌来。

28　惊讶　形容词
jīngyà
感到很意外
surprise

★ 他这么一个不爱运动的人居然跑了第一名，真让人感到惊讶。

29　费尽心机　成语
fèi jìn xīn jī
用尽了心思计划一件事
rack one's brains in scheming

★ 他费尽心机，终于得到一个提职的机会。

30 啼笑皆非 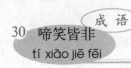 啼：哭；皆：都。
tí xiào jiē fēi
　　（让人）又生气又好笑　　★ 这事儿真令人啼笑皆非。
not know whether to laugh or cry

专　名

1. 汉唐　　　　　　　　Hàn-Táng　　　汉(206B.C—220)、唐(618—907)
　　　　　　　　　　　　　　　　　是中国古代两个重要的朝代

2. 曼哈顿(Manhattan)　Mànhādùn　　　美国纽约中心地区

3. 荷西(José)　　　　　Héxī　　　　　西班牙语国家常用男子名

4. 玛丽亚(Maria)　　　Mǎlìyà　　　　西班牙语国家常用女子名

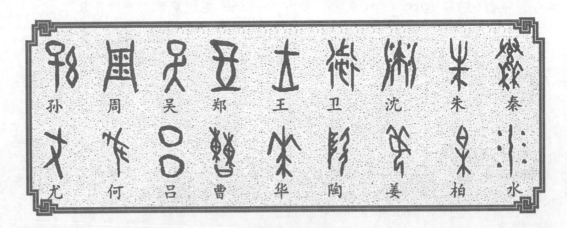

中国人的姓

一、请你根据拼音写出汉字，然后把它们填在合适的句子里：

> kūnhuò   bāodào   fā máo
> huái yùn   liáo yǎng yuàn

1. 我们是开学(   )的时候认识的。

2. 去年夏天，我因为健康的原因，在一个山区(   )呆了很长时间。

3. 因为没有准备，听到老师要我回答问题，感到心里(   )。

4. 一(   )，她就给孩子起好了名字。

5. 中国人同意别人看法时常说"可不是嘛"，刚学汉语的时候，这让我感到很(   )。

> nàmènr   lèng   jǐnggào
> chāoshēngbō   mù dèng kǒu dāi

6. 在电视上看着飞机撞向大楼的情景，全世界的人都(   )。

7. 现在医院通过(   )可以知道未出生婴儿的性别。

8. 政府已经多次向民众发出恐怖袭击(   )。

9. 他工作业绩一直很好，这次却被公司辞掉了，真让人觉得(   )。

10. 他突然宣布婚礼取消了，在场的人一下子都(   )住了。

二、请你根据下面的句子写出一个成语，然后用这个成语造一个句子：

1. 不知道是怎么回事，觉得很奇怪。(   )

2. 说话不流利，常常有停顿。(   )

3. 让人哭笑不得。(   )

4. 事先没有商量，却同时做一件事。(   )

5. 花很多心思。(   )

三、请把第二题的成语填在下面合适的句子里：

1. 昨天上课，他迟到了半个小时，而且刚坐下就对老师说，他忘记带课本了，得再回去拿一趟，真令人（　　　　）。

2. 虽然上了三个月的口语强化班，可是他说起英文来还是（　　　）的。

3. 好几天了，他见了我理也不理，真让人（　　　　）。

4. 他（　　　　），终于得到一个提职的机会。

5. 说到去度假，我们（　　　　）地想到了丽江。

四、请在下面句子中填上合适的单音节动词：

1. 我的名字是我妈妈给我（　　　　）的。

2. 妈妈把孩子紧紧地（　　　　）在怀里。

3. 她把花给我（　　　　）在胸前。

4. 女朋友突然提出要分手，他一下子（　　　　）住了。

五、请你查字典，看看下面词语和其中的黑体字是什么意思，然后再写出两个由这个黑体字组成的词语：

疗养院	治疗	_____	_____
发毛	发烧	_____	_____
放弃	舍弃	_____	_____
惊讶	惊奇	_____	_____
警告	警报	_____	_____

语言点

一、是……VP 的

◎ 这麻烦**是**十年前开始**的**。

▲说明：用来说明一件已经发生的事情的时间、处所、方式等。例如：

1. 我是去年三月来中国的。
2. 这本书是在香港买的。
3. 他是跟旅行团一起去南美洲的。

二、V₁……，连忙 V₂

◎ 他大概也看出自己说得不对，**连忙**很有礼貌地问我："请问你的名字怎么念？"

▲说明：在发生 V₁ 以后，马上做了 V₂。"连忙"是副词，用在后一个句子中。这是一个书面表达形式，用在已经发生过的事情。例如：

1. 听说明天有听写，他连忙准备起来。
2. 看到我进来，孩子连忙不说话了。

三、并＋否定

◎ 麻烦**并没有**到此结束。

▲说明："并＋否定词（不／没有）"加强否定的语气，用来否定某种看法、说明真实情况。常用格式为：

a. 并不＋形容词／表示心理状态的动词
b. 并没有＋一般动词
例如：

1. A：上海的东西非常便宜。
　 B：我最近刚从上海回来，那儿的东西并不便宜。
2. A：你的法语这么好，一定在法国呆过很长时间吧。
　 B：其实我并没有去过法国。

11

四、干脆

◎ 好奇的会叫你再教他一遍，怕麻烦的**干脆**就叫我"你小姐"。

▲说明：干脆，形容词，表示痛快、果断、不让人觉得麻烦，可以放在动词前边，也可以用在主语的前边。例如：

1. 小王办事很干脆。
2. 这辆自行车太破了，我看干脆买辆新的吧。
3. 孩子哭闹的时候，我干脆不理他。
4. 电话里说不清，干脆自己去一趟吧。

五、不是 A 就是 B

◎ 南美洲来的不是荷西，就是玛丽雅。

▲说明：A、B 为同类的动词、名词或小句，表示可能是 A，也可能是 B，两项之中必有一项是事实。例如：

1. 最近不是刮风就是下雨，所以一直没有出去玩。
2. 听他的口音，不是山西人就是内蒙古人。
3. 不是你去，就是我去，反正我们得去一个人。

语言点练习

一、用所给词语或结构完成对话或句子：

1. A：你学汉语很长时间了吗？
   B：＿＿＿＿＿＿＿＿＿＿＿＿＿＿＿。（是……VP 的）

2. A：你的中国名字很好听。
   B：＿＿＿＿＿＿＿＿＿＿＿＿＿＿＿。（是……VP 的）

3. 得知妈妈生病的消息，＿＿＿＿＿＿＿＿＿＿＿。（连忙）

4. 听到孩子的哭声，＿＿＿＿＿＿＿＿＿＿＿＿。（连忙）

5. A：你对法国这么了解，一定在那儿住过很长时间吧？
   B：＿＿＿＿＿＿＿＿＿＿＿＿＿＿＿。（并＋否定）

6. A：听说那个地方很落后，连自来水都没有，是吗？
   B：＿＿＿＿＿＿＿＿＿＿＿＿＿＿＿。（并＋否定）

7. A：马上就要上课了，我们中午吃什么呢？
   B：＿＿＿＿＿＿＿＿＿＿＿＿＿＿＿＿。（干脆）

8. A：我的孩子很喜欢哭闹，真不知道该怎么办？
   B：＿＿＿＿＿＿＿＿＿＿＿＿＿＿＿。（干脆）

9. A：你知道王芳是什么地方人吗？
   B：＿＿＿＿＿＿＿＿＿＿＿＿＿。（不是 A 就是 B）

10. A：你每个星期天都做些什么？
    B：＿＿＿＿＿＿＿＿＿＿＿＿＿。（不是 A 就是 B）

二、请你用本课重要的语言点造句：

★ 是……VP 的
★ V_1……，连忙 V_2
★ 并＋否定
★ 干脆
★ 不是 A 就是 B

综合练习

一、 请你读下面课文中的句子，注意黑体字的用法：

1. 那时我的英文还很糟，只好把入学通知书拿**出来**给他看。
2. 想到这里，我自己也忍不住笑了**起来**。
3. 国内的老人念**不来**英文。
4. 超声波看**出来**是女婴。
5. 英文名一直还没想**出来**。
6. 我把名字念了两遍，听**起来**不错。
7. 一天我正在病房里，忽听有人叫着"陈，陈"从远处走**过来**。
8. 中文名字叫汉云，意思是汉唐飘**过来**的一片云。

二、 选择填空：

> 过来　　起来　　出来　　不来

1. 音乐一响，姑娘们就唱了(　　　　　)。
2. 你今天看(　　　　　)有点疲倦，是不是昨天没有休息好？
3. 这么难的名字，小孩子写(　　　　　)。
4. 我们是老同学，难道你听不(　　　　　)我的声音吗？
5. 我们研究了一个晚上，也想不(　　　　　)一个有效的办法。
6. 看到妈妈，小女孩马上跑了(　　　　　)。

三、 请你根据课文，回答下面的问题，并把你回答的内容写成一段200字左右的话。

1. 作者的中文名字叫什么？她的名字在美国碰到了什么麻烦？
2. 作者的女儿叫什么？回到中国后，这个名字发生了什么问题？

四、 你碰到过或听说过和名字有关系的有趣的事情吗？说说你的中国名字是怎么来的，讲讲中国人听到你的名字时的反应。请尽量使用下面所给的词语。

> 记得　那时　困惑　结结巴巴　莫名其妙　连忙　只好
> 终于　哈哈大笑　纳闷　愣　惊讶　是……VP 的　干脆

阅读　副课文

姓贾的烦恼

　　我叫丫丫(Yāyā)，本是一个快乐妞妞(niūniu)，可为了给我取一个大名，却让爸妈费尽心机！

　　这都怪妈妈嫁给爸爸。爸爸姓贾(Jiǎ)，所以我从一出生，不，还没有出生就被迫姓贾了。唉，你们不姓贾不知道姓贾的烦恼呀。

　　先说说出生以前。

　　从妈妈发现她怀孕的那天起，就开始为我的名字伤脑筋。工作空闲常和同事们研究我的大名，办公室里的人纷纷出主意。你看，这位阿姨建议叫我"宝宝"，对啊，我是爸爸妈妈的小宝贝嘛，可是你听听，"假宝宝"！不是真宝贝呀，气人。那位叔叔说还是叫我"小艺"吧，可是那我不就成了"假仁假义(jiǎ rén jiǎ yì)"了吗？更有一位伯伯，想了半天说："小名就叫晶晶吧，大名嘛，就叫贾正晶。""什么？假正经(jiǎ zhēng-jīng)?！"办公室里的人不约而同地喊起来。不用说，这些名字都因为我的姓变得让人啼笑皆非，最后不得不放弃了。

　　这可把妈妈愁坏了，常常怪爸爸姓什么不好偏偏要姓贾，取个名字这么难，叫什么都是假的。于是妈妈决定，

妞妞：小女孩

假仁假义：表面上很
　　　　关心别人
　　　　的样子

假正经：表面上很守
　　　　规矩的样子

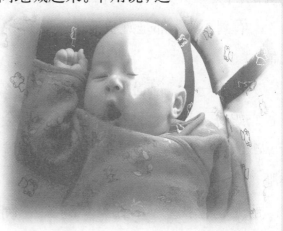

干脆先取个小名吧，大名等我出生以后再说，于是我的小名就叫作"丫丫"了。取这个名字关键的原因就是，这个名字和"贾"组合起来不会产生什么<u>歧义</u>(qíyì)。

歧义：其他的解释

我在妈妈肚子里面游呀，长啊，终于有一天妈妈拍拍里面<u>焦急</u>(jiāojí)等待的我说："丫丫，我的宝贝，我们要见面了。"后来又过了好一阵子，眼前一亮，我就看到了外面的世界。可还没等我体会完兴奋新鲜的第一感觉，爸爸妈妈又开始替我取大名了，因为没有大名连出生证都不能办呢！我满月前必须上报户口，时间<u>紧迫</u>(jǐnpò)啊。

焦急：非常着急

紧迫：剩余的时间很少

妈妈希望我能够快乐，可是她不能叫我"畅(chàng)"，因为那样我会变成"假唱"，太不<u>光彩</u>(guāngcǎi)了；妈妈希望我能成为夜晚星空中最亮的一颗，却不能叫我"星星"，那样我就成了"<u>假惺惺</u>(jiǎ xīngxīng)"。妈妈有个心愿，就是让我的名字里面有她的姓"庆"，我又属马，妈妈希望我能够长成一匹千里马，<u>驰骋</u>(chíchěng)天下，那就叫"庆驰"吧！妈妈的朋友一听："什么什么？假请吃？！这怎么能行？"看到了吧，都是姓贾惹的祸！你说姓贾烦恼不烦恼？

光彩：有面子

假惺惺：假装很关心别人样子

驰骋：骑马奔跑

突然有一天，爸爸拿回一本书叫什么《起名学》。爸爸妈妈每天都认真地抱着它读。根据金木水火土<u>五行</u>(wǔxíng)算来，据说我命中缺水，那就找水字旁的字吧。

于是爸爸找来《辞海》、《辞源》，翻遍了所有水

五行：金、木、水、火、土，中国古人认为这五种物质构成世界万物，有人用五行推算人的命运

字旁的字，经过一番分析论证，终于选出了"源"字。"源"的意思是水流开始的地方，这可以让我的命中永不缺水，而且"源"字右边是"草原"的"原"，这就给了我这匹千里马驰骋的空间，再说"贾庆源"似乎也不会引起什么歧义，这样我的名字就定下来了。

虽然姓贾的烦恼真不少，但自从我的名字确定以后，我就不再管那么多了，现在我胃口好，身体好，是个真正的快乐宝宝！一点也不假！

讨论题

1. 这个女孩子起大名时的烦恼是什么引起的？
2. 请你从文章中找出几个让人啼笑皆非的名字，并说明原因。
3. 你还能再想出几个其他的让人啼笑皆非的名字吗？
4. 女孩子最后叫什么名字了？这个名字是怎么定下来的？
5. 通过这篇文章，你觉得中国人是怎么给孩子取名字的？
6. 在你们国家，父母给孩子取名字的情形是怎样的？

第2课 朋友四型

预 习

这一课谈的是有关朋友的话题，请你预习课文，并回答下面的问题：

1. 作者认为朋友重要吗？为什么？

2. 作者认为朋友分为哪几种类型？

3. 下面这些词语或句子分别是描写课文中哪一型朋友的，请你连线：

第一型	极富娱乐价值
	趣味太窄
	缺乏幽默感
第二型	消息最灵通
	可遇而不可求
	最会说话
第三型	一举两得
	自以为又高级又有趣
	只管自己发球
第四型	和他的友谊好像吃药
	好像新鲜的水果

4. 你认为这篇文章是什么风格的？（可以多选）

　　A 严肃的　　B 轻松的　　C 正式的　　D 幽默的

课 文

朋友四型

　　一个人命里不一定有太太或丈夫，但绝对不可能没有朋友。**就是**荒岛上的鲁滨逊，**也**需要一个"礼拜五"。一个人不能选择父母，但是除了鲁滨逊之外，每个人都可以选择自己的朋友。照说选来的东西，应该符合自己的理想才对，但是事实又不尽然。你选别人，别人也选你。被选，是一种荣誉，但不一定是一件乐事。来按你门铃的人很多，哪能人人都令你"喜出望外"呢？**一般说来**，按铃的人可以分为下列四型。

　　第一型，高级而有趣。这种朋友理想是理想，只是可遇而不可求。世界上高级的人很多，有趣的人也很多，又高级又有趣的人却少之又少。高级的人使人尊敬，有趣的人使人欢喜，又高级又有趣的人，好像新鲜的水果，不但味道甘美，而且营养丰富，可以说是一举两得。朋友是自己的镜子，一个人有了这种朋友，自己的境界也不会太低。

　　第二型，高级而无趣。这种朋友，有的知识丰富，有的品德高尚，有的呢，"品学兼优"像一个模范生，可惜美中不足，都缺乏那么一点儿幽默感，活泼不起来。跟他交谈，既不像打球那样，你来我往，有问有答，也不像滚雪球那样，把一个有趣的话题越滚越大。精力过人的一类，只管自己发球，不管你接得住接不住；消极的一类**则**相反，难得接你一球两球。**不管**对手是积极还是消极，

曲终人散后
今夜
月凉如水

反正该你捡球，你不捡球，这场球就别想打下去。这种朋友的遗憾，在于趣味太窄，所以跟你的"接触面"广不起来。天下之大，他从城南到城北来找你的目的，只在讨论"死亡在法国现代小说中的特殊意义"！为这种朋友捡一晚上的球，疲劳是可以想见的。这样的友谊有点像吃药，太苦了一点。

第三型，低级而有趣。这种朋友极富娱乐价值，说笑话，他最黄；讲故事，他最像；消息，他最灵通；关系，他最广阔；好去处，他都去过；坏主意，他都打过。世界上任何话题他都接得下去，**至于**怎么接法，就不用你操心了。他的全部学问，就在不让外行人听出来他没有学问。至于内行人，世界上有多少内行人呢？所以在许多客厅和餐厅里跑来跑去，他的马脚并不大露出来。这种人最会说话，餐桌上有了他，一定气氛热烈，大家喝进去的美酒还不如听进去的美言那么美味可口。会议上有了他，就是再空洞的会议也会显得主题正确，内容充实，没有白开。如果说，第二型的朋友拥有世界上全部的学问，独缺常识，这一型的朋友则恰恰相反，拥有世界上全部的常识，独缺学问。照说低级的人而有趣味，难道不是低级趣味？你竟能与他同乐，难道不是也有点低级趣味吗？不过人性是广阔的，谁能保证自己毫无此种不良的成分呢？如果要你做鲁滨逊，你会选第三型还是第二型的朋友做"礼拜五"呢？

第四型，低级而无趣。这种朋友，跟第一型的朋友一样少。这种人当然自有一套价值标准，不但不会承认自己低级而无趣，恐怕还自以为又高级又有趣呢。然则，余不欲与之同乐矣。①

（作者余光中，根据教材需要有删节和改动。）

注 解

① 然则，余不欲与之同乐矣。
意思是："可是，我却不愿意和这种人一起聊天娱乐。"这是古代汉语用法，用在这里有幽默风趣的意味。

生 词

1 命 名词
mìng
命运，天命
destiny; lot; fate

★ 她的命很好／苦。
★ 我觉得和她结婚是命中注定的。

2 绝对 形容词
juéduì
无条件的；不受任何限制的
absolute

★ 他说他从来没有说过谎，我觉得他的话太绝对了。
★ 世界上到底有没有绝对的真理？
★ 我绝对相信你的话。

3 荒岛 名词
huāngdǎo
没有人的岛
desolate island

★ 这是一座荒岛。

4 符合 动词
fúhé
和标准、习惯、要求等一致
to fit in with; accord with; tally with

★ 我们看了你的简历，认为你比较符合我们的要求。
★ 这些产品完全符合质量标准。
★ 你这么说不太符合汉语的语法习惯。

5 不尽然
bùjìnrán
不完全是这样
not completely or fully this way

★ 你以为他说的都是真话，恐怕不尽然吧。

6 荣誉 名词
róngyù
因为某种成就而得到很好的名声
honor; glory

★ 获得很高的荣誉

7 喜出望外 成语
xǐ chū wàng wài
事情的结果比自己期望的还要好
be overjoyed; happy beyond expectations

★ 儿子平时学习成绩不太好，可这次居然考上了名牌大学，真让人喜出望外。

8 可遇而不可求
kěyù ér bù kěqiú

成语

不容易专门找到，只能偶然碰到
sth. that can only be found by accident, and not through seeking

★ 对我来说，这是一个可遇而不可求的机会。

9 甘美
gānměi

形容词

[书面语]味道甜美
be sweet and refreshing (mostly referring to fruits)

★ 这种水果的味道非常甘美。

10 一举两得
yìjǔliǎngdé

成语

做一件事得到两方面的好处
kill two birds with one stone

★ 这次去上海出差，顺便回了趟家，真是一举两得。

11 境界
jìngjiè

名词

事物所达到的程度或呈现出的情况
extent reached

★ 他的思想境界非常高，总是在为别人考虑。
★ 他的表演达到了相当高的艺术境界。

12 高尚
gāoshàng

形容词

道德品质很高，很少考虑自己的利益
noble (never think about oneself)

★ 他是一个品德高尚的人，心里总考虑别人，从来不考虑自己。

13 品学兼优
pǐnxuéjiānyōu

成语

品德和学问都很好

★ 他是一个品学兼优的学生。

14 模范
mófàn

形容词、名词

学习、工作中值得别人学习的(优秀人物)
Ideal

★ 你真是一个模范丈夫。
★ 他是一个全国劳动模范。

15 美中不足
měizhōngbùzú

成语

在美好的事物中存在的缺点
the only drawback

★ 这套房子各方面我都很满意，美中不足的是离我工作的地方太远了。

16 缺乏
quēfá

动词

不足；缺少
be short of; lack

★ 这个地区的资源/人才/资金非常缺乏。
★ 他这个人什么都好，就是缺乏耐心/自信/经验。

17 幽默 *形容词，名词*
yōumò
风趣而又意味深长
humorous, humor

★ 老王这个人说话很幽默。
★ 他这个人缺乏幽默感，你别跟他开玩笑。
★ 这件事真是个黑色幽默。

18 活泼 *形容词*
huópo
人很开朗、爱动爱笑，或事物轻松有趣
lively; vivacious; vivid

★ 这个小女孩性格非常活泼。
★ 李老师的课生动活泼，学生非常喜欢上。

19 滚雪球
gǔn xuěqiú
雪球在雪中滚动，越滚越大。比喻增长很快
snowball

★ 困难如果不及时解决，就会像滚雪球一样越来越大。

20 话题 *名词*
huàtí
谈话的题目
topic

★ 让我们换个轻松的话题吧。

21 难得 *形容词*
nándé
少有；不经常；不容易得到
rare

★ 春天下这么大的雪，真难得。
★ 他是个难得的好人。
★ 虽然我们都在广州，但因为工作忙，难得见一面。

22 积极 *形容词*
jījí
努力进取的；正面的
active; energetic; positive

★ 如果你在工作中更积极一点儿，一定会得到提职的机会。
★ 我认为我们每个人都应该有积极的生活态度。
反义词：消极

23 趣味 *名词*
qùwèi
使人感到愉快,能引起兴趣的特性或指人的爱好(多用来进行评价)
interest; taste

★ 我觉得绘画中有无穷的趣味。
★ 他这个人的趣味很高雅/有点儿低级。

24 窄 *形容词*
zhǎi
不宽
narrow

★ 这里的道路很窄。
★ 他的知识面/心胸/社交范围很窄。

25 黄 *形容词*
huáng
指书刊、电影、录像有色情的描写
pornography

★ 这本杂志挺黄的，上面有很多黄色笑话/故事/图片。

26 灵通 *形容词*
língtōng
能迅速得到最新消息
having quick access to information; well-informed

★ 他是个消息灵通人士，什么消息都能在第一时间得到。

27 操心
cāo xīn

担心；花心思
worry about; take pains

★ 他儿子真让她操心。
★ 这些年我为你操了多少心，你知道不知道？

28 外行 名词
wàiháng

非专业性的
lay; unprofessional

★ 在电脑方面，我是个外行。
反义词：内行

29 露马脚
lòu mǎjiǎo

不小心被别人发现了破绽
give oneself away

★ 他说案件发生时他正在电影院看电影，可是当警察问他电影的内容时，他露出了马脚。

30 气氛 名词
qìfēn

特定环境中给人的感觉或情调
atmosphere; air

★ 会谈是在亲切友好的／紧张的气氛中进行的。
★ 讨论会的气氛始终很热烈。

31 空洞 形容词
kōngdòng

缺乏实质内容
empty; hollow

★ 空洞的会议　内容很空洞

32 充实 形容词
chōngshí

内容充足不空洞
substantial

★ 充实的生活　内容很充实

33 恰恰 副词
qiàqià

正好
exactly; just

★ 我和你的看法恰恰相反。

34 承认 动词
chéngrèn

对事实表示认可
admit; acknowledge

★ 如果你承认错误，我会原谅你的。
★ 他已经承认那件事是他干的。

专 名

1. 鲁滨逊　Lǔbīnxùn　英国作家丹佛(Defoe)的作品《鲁滨逊漂流记》(Robinson Crusoe)中的主人公。

2. 礼拜五　Lǐbàiwǔ　《鲁滨逊漂流记》中主人公鲁滨逊在荒岛上碰到的野人，后来变成了他的仆人和朋友。

词语练习

一、请你根据拼音写出汉字，然后把它们填在合适的句子里：

> róngyù　quēfá　mìng
> zhǎi　cāoxīn　mófàn

1. 儿子去世以后，她常常抱怨自己的(　　　　)苦。

2. 在他看来,(　　　　)甚至比生命更重要。

3. 由于(　　　　)资金，工程不得不中途停了下来。

4. 虽然他现在是个(　　　　)的学生，可是上小学时，他常常逃学，让父母非常(　　　　)。

5. 他的知识面那么(　　　　)，我看他很难通过公司的面试。

> wàiháng　fúhé　jìngjiè　yōumò
> bùjìnrán　jījí　chéngrèn

6. 中国的园林通过山水亭台的配合，在造园艺术上达到了很高的(　　　　)。

7. 这次检查的产品有一半不(　　　　)质量要求。

8. 他是一个很(　　　　)的人，和他聊天你会感到很轻松。

9. 不少学者认为，孔子的思想是(　　　　)的，而老子的思想则是消极的，其实事实并(　　　　)。

10. 我(　　　　),对于建筑我是(　　　　),但这么严重的质量问题，我还是能看出来的。

二、请你把下面词语中合适的搭配连线，然后用这个搭配造一个句子：

营养　品德　性格　消息　　高尚　活泼　灵通　丰富　　味道　知识　气氛　内容　　热烈　空洞　丰富　甘美

三、请你在下面的名词前边填上合适的动词，然后各造一个句子：

（　　　　）雪球　　　　（　　　　）故事　　　　（　　　　）门铃
（　　　　）坏主意　　　（　　　　）马脚

四、请根据下面的句子写出一个成语，然后用这个成语造一个句子：

1. 事情的结果比自己想的还要好。　　　　　　　（　　　　　　）
2. 不容易专门找到，只能偶然碰到。　　　　　　（　　　　　　）
3. 品德和学问都很优秀。　　　　　　　　　　　（　　　　　　）
4. 美好的事物中存在的缺点。　　　　　　　　　（　　　　　　）
5. 做一件事情可以得到两方面的好处。　　　　　（　　　　　　）

五、请把第四题的成语填在下面合适的句子里：

1. 今年暑假我为一个在云南举办的英语夏令营打工，既旅游了一趟，又赚了一笔钱，真是（　　　　　　）。
2. 从小学到大学，他一直是个（　　　　　　）的模范生。
3. 这次 HSK 本来我觉得考得不太理想，没想到竟得了 8 级，真让我（　　　　　　）。
4. 在我看来，人生的知己是（　　　　　　）的。
5. 姐姐新买的房子非常大，周围的环境也很不错，（　　　　　　）的是离市区太远，交通不太方便。

六、请你查字典，看看下面词语和其中的黑体字是什么意思，然后再写出两个由这个黑体字组成的词语：

外**行**　　内**行**　　＿＿＿＿＿　＿＿＿＿＿

趣**味**　　乏**味**　　＿＿＿＿＿　＿＿＿＿＿

灵通　　**灵**敏　　＿＿＿＿＿　＿＿＿＿＿

荒岛　　**荒**凉　　＿＿＿＿＿　＿＿＿＿＿

语言点

一、就是……也……

◎ **就是**荒岛上的鲁滨逊，**也**需要一个"礼拜五"。

▲说明：这个结构表示假设和让步，前面常表示一种假设或极端的情况，后面表示结果或结论不受这种情况的影响。后面的小句有主语时，"也"要放在主语的后面。例如：

1.这么简单的道理就是三岁的孩子也明白。

2.会议上有了他，就是再空洞的会议也会显得主题正确，内容充实。

3.工作忙的时候，就是过春节，我也常常不回家。

4.就是明天下雨，足球赛也会照常进行。

二、一般说来

◎ **一般说来**，按铃的人可以分为下列四型。

▲说明：这个短语用来说明通常的情况，也可以用作"一般来说"。例如：

1.一般说来，中国人的姓名由两个字或三个字组成。

2.一般说来，人在年轻的时候，心态总是比较积极的。

三、A……，B 则……

◎ 精力过人的一类，只管自己发球，不管你接得住接不住；消极的一类则相反，难得接你一球两球。

▲说明：这个结构表示前后对比，有轻微的转折语气。这里"则"是副词，用在第二个分句中，分句开头有时有连词"而"配合使用。例如：

1.如果说，第二型的朋友拥有世界上全部的学问，独缺常识，这一型的朋友则恰恰相反，拥有世界上全部的常识，独缺学问。

2.中国国土广阔，人们的饮食习惯有很大的不同，一般说来，北方人喜欢吃面食，而南方人则喜欢吃米饭。

四、不管……，反正……

◎ 不管对手是积极还是消极，**反正**该你捡球。

▲说明：这个结构强调在任何情况下，都不改变结论或结果。"不管"后面常常跟"V不V"、"Adj 不 Adj"、"是 A 还是 B"或特殊疑问句。"反正"是副词，多用在主语的前边。例如：

1.不管别人来不来，反正你得来。

2.不管贵不贵，反正得在学校附近租房子。

3.不管是英语还是法语，反正你要懂一门外语。

4.不管用什么方法，反正开头一定要吸引听众。

五、至于

◎ 世界上任何话题他都接得下去，**至于**怎么接法，就不用你操心了。

▲说明：介词"至于"用来引进另一相关话题，多用在小句或句子开头，它后面的名词、动词等是话题，后面有停顿。例如：

1.他的全部学问，就在不让外行人听出来他没有学问。至于内行人，世界上有多少内行人呢？

2.熊是杂食动物，吃肉，也吃果实。至于熊猫，是完全素食的。

3.下个月我们要去农村实习，至于哪一天去，现在还没确定。

语言点练习

一、用所给词语完成对话或句子：

1. A：我们一定要进行载人航天飞船试验吗？

　　B：当然，_____。（就是……也……）

2. A：如果你突然得到一大笔钱，你会放弃工作吗？

　　B：_____。（就是……也……）

3. A：大华商场过季服装正在大甩卖，你不去看看吗？

　　B：那些衣服都过时了，_____。（就是……也……）

4. A：你们国家的人是怎么给孩子起名字的？

　　B：_____。（一般说来）

5. A：你觉得，朋友可以分成几种类型？

　　B：_____。（一般说来）

6. A：你觉得中国南方人和北方人有什么不同？

　　B：_____。（A……，B 则……）

7. A：你的家里人喜欢怎么过周末？

　　B：_____。（A……，B 则……）

8. A：听说你们双方父母都不同意，你们还打算结婚吗？

　　B：_____。（不管……，反正……）

9. A：你觉得演讲的时候应该怎么开头？

　　B：_____。（不管……，反正……）

10. 我听说他知识很丰富，_____。（至于）

11. 天气预报说今天有雨，_____。（至于）

二、请你用本课重要的语言点造句：

　　★ 就是……也……

　　★ 一般说来

　　★ A……，B 则……

　　★ 不管……，反正……

　　★ 至于

> ## 综合练习

一、请你读下面课文中的句子，注意黑体字的用法：

1.有的呢，"品学兼优"像一个模范生，可惜美中不足，都缺乏那么一点儿幽默感，活泼**不起来**。

2.这种朋友的遗憾，在于趣味太窄，所以跟你的"接触面"广**不起来**。

3.你不捡球，这场球就别想打**下去**。

4.世界上任何话题他都接得**下去**。

5.他的马脚在许多客厅和餐厅里跑来跑去，并不大露**出来**。

6.他的全部学问，就在不让外行人听**出来**他没有学问。

7.大家喝**进去**的美酒还不如听**进去**的美言那么美味可口。

二、选择填空：

> 下去　　起来　　出来　　进去

1.春节一过，天气就一天天暖和（　　　　）了。

2.就是再难，我们的实验也要做（　　　　）。

3.我警告了她好几次，可是她根本听不（　　　　）。

4.超声波看（　　　　）我怀的是个女婴。

5.从他结结巴巴的汉语，我听（　　　　）他是个外国人。

6.面试没通过，唐平一整天都高兴不（　　　　）。

7.她的情绪一般不大会从脸上露（　　　　）。

三、请你根据课文，回答下面的问题，并把你回答的内容写成一段200字左右的话，请尽量使用下面所给的词语：

1.作者认为朋友重要吗？

2.作者认为朋友分为哪几种类型？

3.这几种类型的朋友各有什么特点？

> 一般说来　　可遇而不可求　　新鲜的水果　　一举两得　　趣味太窄
> 品学兼优　　缺乏幽默感　　美中不足　　吃药　　灵通　　娱乐价值
> 滚雪球　　露马脚　　自以为　　难得　　空洞　　充实

四、在课文里讲的四种朋友里，你觉得作者最喜欢哪一种？你同意他的看法吗？请说说你的看法。

马先生其人

马先生的表，我想大概是一个装饰品(zhuāng-shìpǐn)。不管约他开会还是吃饭，他都要迟到一个多钟头，他的表并不慢。

来重庆，他多半是住在白象街(Báixiàng Jiē)的作家书屋。不管有没有要说的，反正他都要谈到夜里两三点钟。如果不是别人都困得不出一声了，他还想不起来上床去。如果有人陪着他谈，他能一直坐到第二天夜里两点钟。一般来说，表、月亮、太阳，都不能让他注意到时间。

比如说吧，下午三点他要到观音岩(Guānyīnyán)去开会，到两点半他还毫无动静(háowú dòngjing)。

装饰品: 为了好看放在一个地方的东西

白象街: 地名

观音岩: 地名

毫无动静: 一点行动都没有

"老兄，不是三点有会吗？该走了吧？"有人这样提醒他，他马上戴上帽子，提起那有茶碗口粗的<u>木棒</u>(mùbàng)，向外走。"七点吃饭。早回来呀！"大家告诉他。他回答一声"一定回来"，就<u>匆匆</u>(cōngcōng)地走出去。

木棒：这里指手杖

匆匆：很着急的样子

可是如果你到三点的时候出去，就会看见马先生在门口与一位老太婆，或是两个小学生，谈话儿呢！就是不是这样，他在五点以前也不会走到观音岩。路上每遇到一位熟人，就要谈至少十分钟的话。如果遇上打架吵嘴的，他得过去劝，也许别人被劝开了，而他则与另一位<u>劝架</u>(quàn jià)的打了起来！遇上某处起火，他得帮着去救。有人追赶小偷，他必然得加入，非捉到不可。看见某种新东西，他得过去问问价钱，不管买不买。看到电影<u>海报</u>(hǎibào)，他连忙去借电话，问还有票没有……这样，他从白象街到观音岩，可以走一天，<u>幸而</u>(xìng'ér)他记得开会那件事，所以只走了两三个钟头。

劝架：说服别人不争吵或打架

海报：贴在外面的文化体育活动的广告

幸而：好在

到了开会的地方，就是大家已经散了会，他也得坐两个小时。他跟谁都谈得来，都谈得有趣，很亲切，很<u>细腻</u>(xìnì)。如果有人刚买一条绳子，他马上拿过来练习跳绳——五十岁了啊！

细腻：能注意到每一个细节

七点，他想起来回白象街吃饭这件事，回来的路上，又照样劝架，救人，追<u>贼</u>(zéi)，问物价，打电话……至早，他在八点半左右走到目的地。满头大汗，<u>三步当做两步</u>(sān bù dàng zuò liǎng bù)走的。他走了进来，饭早已开过了。

贼：小偷

三步当作两步：很急地赶路

所以,我们与友人定约会的时候,如果说随便什么时间都行,不管早晨还是晚上,反正我一天不出门,你什么时候来也可以,我们就说"马先生的时间吧"!

(选自老舍的《马宗融先生的时间观念》,根据教材需要有改动。)

讨论题

1.马先生去开会的路上都做了些什么?
2.马先生是个什么样的人? 他属于哪个类型的朋友?
3.你觉得作者喜欢马先生吗? 为什么?
4.你有几个类型的朋友?
5.请你给大家介绍一个你最有趣的朋友。

第 3 课　　世纪遗产清单

预 习

> 请你预习课文，并试着回答下面的问题，看
> 看课文的生词表里，有没有你需要的词语。

1 这篇课文谈的是什么问题？

2 根据课文，20 世纪给人类留下了哪些"遗产"？这些"遗产"
将给 21 世纪的人们带来哪些"好处"？请你先填写下表的左
栏，然后和右栏对应的条目连线。

"遗　产"	给 21 世纪带来的"好处"
遗产一：	让人们大开眼界
	可以很方便地欣赏到海市蜃楼
遗产二：	视野会更加开阔
	使人们不再孤独和寂寞
遗产三：	可以在夜空中观测到奇异的天文现象
	少了被水淹死的危险
遗产四：	使人们很少遇上细雨绵绵的天气
	可以住进美丽的疗养院，摆脱掉繁重的工作
遗产五：	常常听到驼铃的丁当声

3 你觉得作者是用一种什么样的语气写这篇文章的？请你在课文中
找出几个让你感觉到这种语气的词语或句子。

　　A 兴奋的　B 讽刺的　　C 生气的　　D 平静的　　E 骄傲的

世纪遗产清单

　　像一个人临终前要对自己的财产进行清点**以便**留给后人一样，一个世纪即将结束时，也该把自己留下的东西列一份清单，以便让下个世纪的人们心里明白这个世纪的功劳。20世纪的黄昏已经来临，这个世纪**究竟**给我们人类留下了什么，似乎也到了清点一下的时候了。

　　8千多万具死于战争的尸骨，是20世纪留给人类的最大一笔"财富"。两次世界大战和30余次国际、国内战争，造成了全世界约8千万名军人和无辜平民的死亡，这些死去的人们如今都已化为白骨被掩埋在了土层深处。这些尸骨静静地望着活着的人们，他们的哭泣，会使21世纪的人们不再感到孤独和寂寞。

　　数万个核弹头是20世纪留给人类的又一笔"财产"。世界上有核国家制造的核弹头加在一起已经需要用万来数了，这些核弹头可以把地球毁灭许多次。人类终于为自己制造出了集体死亡的工具，这是一件值得骄傲的事情。也许21世纪的某一天，我们人类会欣赏到核弹爆炸时那美丽的闪光。那时，人们一定会**为**遇上这种大开眼界的机会**而**欢呼。

　　10多亿公顷的森林变成了平地和沙漠，是20世纪的又一大"功劳"，也是它留给21世纪人类

的一笔可观的不动产。没有了这些森林，人类也就少了许多的麻烦，就会很少再遇到多云、多雾以及细雨绵绵的天气；沙漠面积大了，人们就会更方便地欣赏到沙漠里的海市蜃楼，就会不停地听到驼铃的丁当声；平地面积多了，人们的视野就会更加开阔，就会看到大地尽头美妙的风景。

几千条污染了的河流和几百个污染了的湖泊，是 20 世纪留下的又一笔"遗产"。有了这笔"遗产"，21 世纪的人们就不必再到那些河湖里捕鱼，**从而**也就少了制造渔船和渔网的麻烦。有了这笔"遗产"，许多人就不必再学游泳，从而也就少了被水淹死的危险。有了这笔"遗产"，许多人就可以为一种莫名其妙的小病而住进美丽的疗养院，从而把繁重的工作摆脱掉。

350 万块宇宙垃圾是 20 世纪留下的一笔十分新颖的"遗产"，这些东西目前正围绕地球运转。**仅**在近地球轨道上登记在册的直径 10 厘米以上的太空垃圾**就**有 19000 块。有了这笔财产，科学家们日后就可以少发射或不发射人造卫星，而我们的天文爱好者则可以在晴朗的夜空，观测到更多奇异的天文现象。

一个多么"慷慨"的世纪，仅粗略一数就知道它给人类留下了如此多的东西。21 世纪的人们当然应该对它充满感激。

上帝呢？上帝也为此而满脸笑意？

(作者周大新，根据教材需要有删节和改动。)

生　词

1 遗产 名词
yíchǎn
先人留下来的财富
legacy; heritage

★ 他叔叔去世后，给他留下一笔遗产。
★ 他继承了他父亲的遗产。

2 清单 名词
qīngdān
记录有关项目的详细的单子
detailed list

★ 请你把箱子里所有的东西列一份清单。

3 清点 动词
qīngdiǎn
清理查点
check; count; make an inventory

★ 你好好清点一下，看是不是所有明天该带的东西都准备好了。
★ 她正在清点她的衣服/库存的东西。

4 即将 副词
jíjiāng
[书面语]将要；就要
be about to; be on the point of

★ 明年我即将毕业，现在正在准备论文。

5 列 动词
liè
按一定的顺序排出来
row; line; list

★ 列表　列一份清单

6 功劳 名词
gōngláo
为一件事情做出的努力或起到的决定性的作用
merits and contribution

★ 试验成功，功劳并不是我一个人的。
★ 他为公司的发展立下了汗马功劳。

7 黄昏 名词
huánghūn
[书面语]日落以后至天还没有完全黑的这段时间
evenfall; dusk

★ 黄昏时，我喜欢一个人在湖边散步。

8 尸骨 名词
shīgǔ
[书面语]尸体腐烂后留下的骨架
skeleton of a corpse

9 财富 名词
cáifù
对人有价值的东西
wealth; riches

★ 物质财富　精神财富

10 无辜 (形容词)
wúgū
清白的，无罪的
innocent

★ 案件发生时，我不在现场，我是无辜的。

★ 你不要因为和太太吵架，就对孩子发火，孩子是无辜的。

11 掩埋 (动词)
yǎnmái
[书面语]用泥土等盖在(常用于尸体)上面，
bury

★ 掩埋掉心爱的狗以后，她忍不住哭起来。

12 哭泣 (动词)
kūqì
[书面语]小声地哭
weep; cry

★ 别再为过去的事情哭泣了！

13 孤独 (形容词)
gūdú
一个人觉得没有依靠
isolated; lonely

★ 我刚出国时，一个朋友都没有，觉得很孤独。

14 寂寞 (形容词)
jìmò
内心冷清孤单
solitary; lonely; lonesome

★ 虽然那天生日晚会的气氛很热烈，可是因为刚刚和女友分手，他心里还是感到非常寂寞。

15 核弹头
hédàntóu
nuclear warhead

★ 核武器　核电站　核爆炸

16 毁灭 (动词)
huǐmiè
彻底破坏，消灭
destroy; exterminate; demolish; annihilate

★ 破坏环境就等于毁灭人类自己。

17 爆炸 (动词)
bàozhà
物体体积突然变大，使周围气压发生强烈变化并产生巨大声响
explode; burst; blow up

★ 炸弹爆炸　引起爆炸
★ 人口爆炸　知识爆炸

18 大开眼界
dàkāiyǎnjiè
看到美好而新奇的事物，增长见闻
widen one's view

★ 让人大开眼界

19 欢呼 (动词)
huānhū
高兴地喊叫
cheer; acclaim

★ 听到战争结束的消息，人们都欢呼起来。

20　公顷　量词
　　gōngqǐng
　　　　　　一万平方米
　　　　　　hectare

21　沙漠　名词
　　shāmò
　　　　　　地面完全是沙，植物和雨水很少
　　　　　　的地区
　　　　　　desert

22　不动产
　　bùdòngchǎn
　　　　　　不能移动的财产，如房屋等
　　　　　　immovable property

23　细雨绵绵
　　xìyǔ miánmián
　　　　　　一段时间内，整天下小雨
　　　　　　continuous drizzling

★ 我很不习惯南方细雨绵绵的天气。

24　海市蜃楼　成语
　　hǎi shì shèn lóu
　　　　　　一般发生在沙漠地区和海边的奇异
　　　　　　的幻景，也用来比喻不真实的事物
　　　　　　mirage

★ 在那位哲学家看来，人生只是美丽的海市蜃楼。

25　驼铃　名词
　　tuólíng
　　　　　　挂在骆驼脖子上的铃铛
　　　　　　camel bell

26　丁当　象声词
　　dīngdāng
　　　　　　金属或瓷器撞击发出的声音
　　　　　　clanking noise

27　视野　名词
　　shìyě
　　　　　　眼睛看到的范围或观察和认识的
　　　　　　领域
　　　　　　visual field; horizon; ken

★ 这个地方没有什么高楼，视野很开阔。
★ 这本书开阔了我的视野。

28　污染　动词
　　wūrǎn
　　　　　　弄脏或使接触到有害的东西
　　　　　　contaminate; defile; pollute

★ 放射物污染了整个地区。
★ 由于工厂不停地把污水排放到河里，这条河受到了严重的污染。
★ 过度发展的汽车工业造成了严重的环境／空气／噪音污染。
★ 我认为，黄色杂志是一种精神污染。

39

29 捕鱼
bǔ yú
用网或大型工具捉鱼
fish

★ 他的父亲以捕鱼为生。

30 淹 （动词）
yān
水盖过
flood; submerge

★ 洪水淹了很多农田。
★ 他不会游泳，掉到湖里差点儿被淹死。

31 繁重 （形容词）
fánzhòng
指工作、任务等多而重
heavy; onerous; stenuous

★ 繁重的工作 繁重的任务

32 宇宙 （名词）
yǔzhòu
包括一切天体的无限空间
universe

★ 谁都不知道宇宙究竟有多大。

33 新颖 （形容词）
xīnyǐng
又新鲜又特别
be new and original; novel

★ 他们的设计方案内容/思路/角度很新颖。
★ 我很喜欢你这种新颖的发型/观点。

34 轨道 （名词）
guǐdào
天体运行的路线；事物进行的程序和发展的方向、范围
orbit

★ 宇宙飞船升空后，将沿着地球轨道运行。
★ 战争结束后，国家逐步走上正常轨道。

35 直径 （名词）
zhíjìng
diameter

★ 这个圆的直径是多少？

36 太空 （名词）
tàikōng
地球大气层以外的区域
the outer space

★ 很多人都希望像宇航员一样，坐着宇宙飞船到太空去旅行。

37 发射 （动词）
fāshè
放出或弹射出自动推进的物体
launch; project; shoot

★ 他们从海上发射了一枚火箭/导弹。

| 38 | 卫星 | 名词 | | ★ 月亮是地球的卫星。 |

38 卫星
wèixīng
名词
secondary planet; satellite

★ 月亮是地球的卫星。
★ 这颗气象/人造卫星是从西北发射升空的。

39 天文
tiānwén
名词
天体在宇宙间的分布、运行等现象
astronomy

★ 天文学　天文爱好者
天文望远镜

40 晴朗
qínglǎng
形容词
阳光充足，没有云雾
fine; clear; sunny; cloudless

★ 今天的天气很晴朗。

41 观测
guāncè
动词
(多用于科学研究的目的)观察并测量
observation; observe

★ 他花了三十多年的时间观测行星的运动/黄河的水位变化/这个地区的气候变化。

42 奇异
qíyì
形容词
[书面语] 奇特，特别
strange; wonderful

★ 海市蜃楼是发生在沙漠中的一种奇异的景象。

43 慷慨
kāngkǎi
形容词
大方；舍得付出金钱
generous

★ 他对朋友很慷慨，每次吃饭都是他请客。

44 粗略
cūlüè
形容词
大概的,不精确的
rough; sketchy; not in-depth

★ 我们粗略地统计了一下，大概有一半职员愿意周末加班。
★ 这只是一个粗略的报道，并没有提供详细情况。

45 上帝
shāngdì
名词
God

词语练习

一、请你根据拼音写出汉字，然后把它们填在合适的句子里：

> qīngdān gōngláo qīngdiǎn liè
> huānhū bāozhà hédàntóu huǐmiē

1.你把这些旧书（   ）一下，然后（   ）一份（   ）给我。

2.很多人认为修建长城是秦始皇的一大（   ），但是事实并不尽然。

3.据说现在世界上有核国家的（   ）可以把地球（   ）上千次。

4.战争结束的消息传来，人们都（   ）起来。

5.进入21世纪以来，电视屏幕上几乎天天都有自杀炸弹（   ）的新闻。

> hǎishìshēnlóu xīnyǐng gūdú
> huánghūn kāngkǎi fánzhòng

6.刚出国的时候，周围没什么朋友，常常觉得很（   ）。

7.听到山区小学缺乏教学设备的消息，他（   ）地把自己仅有的3万元存款寄了过去。

8.（   ）时，街灯亮了，城市显得更加迷人。

9.（   ）的工作使他得了一种莫名其妙的病。

10.在这位哲学家看来，人生好像是沙漠中的（   ），美丽但不真实。

11.你这种手机的样子很（   ），是刚上市的吧？

> fāshè jìmò guǐdào qínglǎng
> dǎkāiyǎnjiè wūrǎn cáifù

12.孔子的儒家思想是中国人的一笔精神（   ）。

13.由于大气（   ）十分严重，就是在（   ）的日子里，人们也难得看到蓝天。

14.卫星（   ）升空后，将沿着地球（   ）运行。

15.这次到卫星发射基地参加模拟太空旅行，使青少年们（   ）。

16.虽然那天生日晚会的气氛很热烈，可是因为刚刚和女友分手，他心里还是感到非常（   ）。

二、请你想想下面的形容词可以和哪些名词一起使用，请你至少写出一个来，并用这个搭配造句：

新颖 _____

慷慨 _____

奇异 _____

繁重 _____

晴朗 _____

无辜 _____

三、请你在下面的动词后填上合适的宾语，然后用这个搭配造一个句子：

欣赏（　　　）

摆脱（　　　）

造成（　　　）

充满（　　　）

观测（　　　）

四、请阅读课文，并在下面的句子中填上合适的量词：

1. 8 千多万（　　　）死于战争的尸骨，是 20 世纪留给人类的最大一（　　　）"财富"。

2. 两次世界大战和 30 余次国际、国内战争，造成了全世界约 8 千万（　　　）军人和平民的死亡。

3. 数万（　　　）核弹头是 20 世纪留给人类的又一（　　　）"财产"。

4. 几千（　　　）污染了的河流和几百（　　　）污染了的湖泊，是 20 世纪留下的又一（　　　）"遗产"。

5. 350 万（　　　）宇宙垃圾是 20 世纪留下的一（　　　）十分新颖的"遗产"。

五、请你查字典，看看下面词语和其中的黑体字是什么意思，然后再写出两个由这个黑体字组成的词语：

遗产　遗言　_____　_____

财富　财产　_____　_____

核弹头　核武器　_____　_____

轨道　铁轨　_____　_____

观测　观察　_____　_____

43

语言点

一、……，以便……

◎ 一个人临终前要对自己的财产进行清点，**以便**留给后人。

▲说明：这个句型用来表示"以便"前边的行动，是为了让"以便"后面的目的容易实现。"以便"是连词，用在后一小句的开头。前后两个小句主语相同时，后一个小句不出现主语。例如：

1. 一个世纪即将结束时，也该把自己留下的东西列一份清单，以便让下个世纪的人们心里明白这个世纪的功劳。
2. 你先把材料准备好，以便开会研究。

二、究竟

◎ 这个世纪**究竟**给我们人类留下了什么？

▲说明：用在问句中，加强疑问语气。"究竟"一般用在特殊疑问句、选择疑问句或正反疑问句，例如：

1. 你究竟叫什么名字？
2. 他究竟是日本人还是中国人？
3. 你究竟去不去？

带"吗"的问句，不能用"究竟"。

三．为……而……

◎ 人们一定会**为**遇上这种大开眼界的机会**而**欢呼。

▲说明："为……而……"这个结构用来说明行为的原因或目的。这个结构只能有一个主语，放在句子开头，"而"的后面连接形容词或动词，中间不能有停顿。例如：

1. 有了这笔遗产，许多人就可以为一种莫名其妙的小病而住进美丽的疗养院。
2. 他为找到一份理想的工作而努力学习。

四、……，从而……

◎ ……人们就不必再到那些河湖里捕鱼，**从而**也就少了制造渔船和渔网的麻烦。

▲说明："从而"是连词，表示前面的行为或情况带来的结果，用在后一小句开头，沿用前一小句的主语。用于书面。例如：

1.有了这笔遗产，许多人就不必再学游泳，从而少了被水淹死的危险。

2.经过多年研究，科学家们终于找到了这种传染病的病因，从而为研制疫苗创造了条件。

五、仅……就……

◎ **仅**在近地球轨道上登记在册的直径10厘米以上的太空垃圾**就**有19000块。

▲说明：这个结构用来表示某种事物数量大或多。"仅"用来限定范围，整个结构说明在较小的范围，某种事物已经达到较多的数量。"仅"是书面语，口语中常用"光"。例如：

1.一个多么慷慨的世纪，仅粗略一数就知道它给人类留下了如此多的东西。

2.现在生活费很高，上个月仅电话费就花了500元。

3.这次参加展览的厂家很多，仅一楼大厅就有200家。

4.完成这篇论文用了他很长时间，光收集材料就花了一年。

语言点练习

一、用所给词语完成对话或句子：

1. 我复印了不少资料，＿＿＿＿＿＿＿＿＿＿＿＿＿＿＿。(以便)

2. 人类发射了很多人造卫星，＿＿＿＿＿＿＿＿＿＿＿。(以便)

3. 我都等你半天了，＿＿＿＿＿＿＿＿＿＿＿＿＿？ (究竟)

4. ＿＿＿＿＿＿＿＿＿＿＿＿＿？ 真让人莫名其妙。(究竟)

5. A：你为什么学汉语？
   B：＿＿＿＿＿＿＿＿＿＿＿＿＿＿。(为……而……)

6. A：他为什么住进了疗养院？
   B：＿＿＿＿＿＿＿＿＿＿＿＿＿＿。(为……而……)

7. 中国在唐朝时吸收了大量外来文化，＿＿＿＿＿＿＿。(从而)

8. 我们在中国西部农村呆了一个月，＿＿＿＿＿＿＿。(从而)

9. A：这次参加运动会的运动员多吗？
   B：很多，＿＿＿＿＿＿＿＿＿＿＿。(仅……就……)

10. 学校附近书店很多，＿＿＿＿＿＿＿＿＿＿。(仅……就……)

二、请你用本课重要的语言点造句：

★ 以便

★ 究竟

★ 为……而……

★ 从而

★ 仅……就……

综合练习

一、 这篇课文用讽刺的语气提出了一个严肃的问题,请你根据课文内容,改用严肃的语气,用"20世纪给我们留下了什么?"作题目,写一段250字左右的话,来说明20世纪对环境和人类自身的伤害。请尽量使用下面的词语和句型:

世界大战　　造成　　哭泣　　核弹头
宇宙垃圾　　毁灭　　爆炸　　森林
天气　　　　污染　　河流　　湖泊
疗养院　　　沙漠　　上帝　　究竟　　从而

二、 请你朗读下面这两段课文,特别注意黑体字在文章中的作用:

　　10多亿公顷的森林变成了平地和沙漠,是20世纪的又一大"功劳",也是它留给21世纪人类的一笔可观的不动产。**没有了这些森林**,人类**也就**少了许多的麻烦,**就会**很少再遇到多云、多雾以及细雨绵绵的天气;**沙漠面积大了**,人们**就会**更方便地欣赏到沙漠里的海市蜃楼,**就会**不停地听到驼铃的丁当声;**平地面积多了**,人们的视野**就会**更加开阔,**就会**看到大地尽头美妙的风景。

　　几千条污染了的河流和几百个污染了的湖泊,是20世纪留下的又一笔"遗产"。**有了这笔遗产**,21世纪的人们**就**不必再到那些河湖里捕鱼,**从而也就**少了制造渔船和渔网的麻烦。**有了这笔遗产**,许多人**就**不必再学游泳,**从而也就**少了被水淹死的危险。**有了这笔遗产**,许多人**就**可以为一种莫名其妙的小病而住进美丽的疗养院,**从而**把繁重的工作摆脱掉。

三、 对课文中提出的这些20世纪遗留下来的问题,你认为我们应该怎么解决?请你提出一个解决问题的方案,并仿照上面两段课文中黑体字的连接方法,写成一段250字左右的话。

阅读 副课文

明天的寓言

  从前，有一个小镇，这里的风景非常美丽，小镇周围是广阔的田野，<u>清澈</u>(qīngchè)的河流穿过无边的稻田，平静的湖泊中开满了<u>荷花</u>(héhuā)，鱼儿在荷叶下游来游去。到了秋天，很多水鸟不约而同地飞到湖上来过冬，使这里成为鸟的王国。稻田的尽头，是美丽的远山，山下有大片的果园。到了春天，果树开满了花，红的像火，白的像雪，花下蜜蜂和蝴蝶飞来飞去，充满生机。山上是<u>茂密</u>(màomì)的森林，在那里，人们常常会看到活泼的小<u>鹿</u>(lù)和山羊。

清澈：水很清

荷花：水中开的一种美丽的花

茂密：树很多、很高

鹿：山里的一种动物，有角

  多年来，这里一直是这个样子。直到有一天，小镇上建起了第一个造纸厂，山上的树木进入工厂，转眼变成雪白的纸张，这让人们大开眼界。从这时起，小镇上人们的生活开始发生变化。各种工厂越建越多，给小镇带来大笔财富，种田的农民也有更多的钱去买<u>化肥</u>(huàféi)和<u>杀虫剂</u>(shāchóngjì)，从而使农产品的产量大大提高。人们开始有了电视、冰箱，家家都盖起了小楼，买了汽车。他们通过电视广告，让更多的人知道这里有美丽的风景、丰富的资源，于是，假日里，就有很多游客开车到这里，欣赏风景、捕鱼、<u>打猎</u>(dǎliè)、吃<u>野味</u>(yěwèi)，水鸟、小鹿和山羊都上了人们的餐桌。人们都说，他们的生活质量提高了。

化肥：化学肥料
杀虫剂：杀虫子用的化学品

打猎：到树林或大山里追杀动物
野味：用山里的动物做成的食物

  然而，周围的环境在慢慢改变，先是空气不再新

鲜，多雾的天气越来越多，就是在晴朗的日子里，也难得看到蓝天。后来河流也不再清澈，河里的脏水发出难闻的气味，湖泊受到污染，不能再游泳，人们常常可以看到漂在湖上的死鱼和死在湖边的水鸟。慢慢的，人们不再能看到美丽的荷花，不再能听到鸟的歌唱。

果园里的果树开花了，可是人们在花下看不到蜜蜂和蝴蝶。曾经是那么茂密的森林，现在已经完全变了样，有一半的树已经变成了纸张，另外一半像生了重病一样，在慢慢落叶、枯萎(kūwěi)甚至死亡，森林里不再有小鹿和山羊，就是兔子也看不到一只，到处都很安静。人们感到一种说不出的孤独和寂寞。

枯萎: 植物慢慢变干

慢慢的，小镇里开始出现一些莫名其妙的疾病，开始是家畜(jiāchù)，鸡、猪、牛、羊突然成批死亡，后来一种可怕的传染病(chuānrǎnbìng)开始流行，得了这种病，人在高烧几天之后，就会死去。医生们发现，这是一种全新的疾病，找不到病因，也无法治疗。人们感到非常害怕，开始猜测这疾病究竟是怎么引起的。有人说是因为空气和水污染造成的，也有人说是因为化肥和杀虫剂引起的，有人说，是鸡肉出了问题，也有人说是野味引起了这种可怕的疾病，因为据说小镇里第一个得这种病的人，就是野味餐馆的厨师。不管怎么样，反正小镇的人们已经得到警告，不要再吃河里的鱼、树上的鸟和山里的小鹿。吃饭前要洗手，上街要戴口罩(kǒuzhào)。于是，在五月的阳光里，小镇的街上到处都是戴口罩的人们。

家畜: 人工养的鸡、猪、牛、羊等动物
传染病: 在人群中传播的病

口罩: 为了防寒或防病而在嘴上戴的布或纸制品

人们的生活质量究竟是提高了还是降低了？人们住上了高楼，开上了汽车，可是他们甚至失去了自由呼吸的权利！

这一切究竟是谁造成的？这是每个人都在思考的问题。

上面说的只是一个寓言(yùyán)，也许没有一个地方出现过所有这些灾难，但在世界上，你不难找到发生上面说的一种或几种灾难的地方。相信总有一天，人们会发现自己只是自然的一个部分，破坏自然，就等于毁灭人类自己。

寓言：思想深刻的故事

讨论题

1. 请你说一说小镇前后的变化？
2. 你认为小镇上人们的生活质量提高了还是降低了？为什么？
3. 你认为小镇后来的问题究竟是谁造成的？
4. 在你生活的地方出现过课文中所说的情况吗？如果出现过，请你讲一讲。
5. 这篇寓言还让你想到了什么？

第4课　　鸟声的再版

预　习

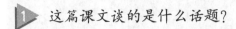

　　　　请你预习课文，并试着回答下面的问题，看
看课文的生词表里，有没有你需要的词语。

1 这篇课文谈的是什么话题？

2 根据课文，清晨、午后、黄昏和夜晚分别应该到什么地方去录音？你
会录下什么的声音？这些声音像哪种音乐？这些音乐用什么词语来形
容？请你把下表中对应的条目连线。

时间	地点	录下的声音	音乐类型	词语
清晨	海边	鸟声和虫声	室内乐	雄壮
午后	湖边的田野	蝉声	歌唱比赛	充满了热力
黄昏	海滨的树林中	海潮的声音	独奏	轻缓而温和庄严
		虫声和蛙声	教堂里的合唱	细致而美丽
夜晚	溪流边的茂密林间	海鸥的叫声	交响乐　序曲	冲突的美感
	竹林里	风声	双重奏	单纯而丰满

3 你觉得这篇文章是什么风格的？（可以多选）

　　　A 书面的　　　　B 口语的　　　　C 文学的
　　　D 幽默的　　　　E 美丽的

课 文

鸟声的再版

有时候带着一部录音机可以做很多事。

清晨，我们可以在靠近海边的树林中录音，最好是太阳刚刚要升起的瞬间，林中的虫鸟都在准备醒来，林间充满了不同的叫声，吱吱喳喳的。而太阳升起的那一刻，不但风景被唤醒，鸟与虫也都唱出了欢声，这早晨在海滨录下的鸟声，**仿佛**是一个大型的交响乐团，正演奏着雄壮的序曲。

午后最好去哪里录音呢？我们选择溪流边的茂密的林间，那是夏天蝉声最盛的时候。蝉声在森林里就像一个庞大的歌唱比赛，每一只蝉都把声音唱得最响。偶尔会听见，一只特别会唱的蝉把声音拔到天空，以为是没有路了，它转了一圈，再拔高上去。蝉声和夏天一样，充满了热力。

黄昏时分，我们到海边去录音，海潮的节奏是轻缓而温和的，仿佛是教堂里庄严的合唱，偶尔会传来海鸥的叫声，这时最像室内乐了，变化不是太大，但却有一种细致而美丽的风格。

夜晚的时候就要到湖边的田野去了，晚上的虫声与蛙鸣**一向**最热闹，**尤其**是在繁星满天的夜晚，它们发出的声音，可以说是双重奏。在生活上，它们互相吞吃或逃避，发出的声音，**反而**有一种冲突的美感。如果不喜欢交响乐、合唱团、室内乐、双重奏，而偏爱独奏的话，**何不选择有风的时候到竹林里去？** 在竹林里录下的风声，使我们知道为什么许多乐器用竹子做材料，风穿过竹林，本身就是一种单纯而丰满的音乐。

在旅行、采访的途中，我都会随身带着录音机，录音的主要对象当然是人，但也常常录下一些自然的声音，鸟的歌唱、虫的低语、海的潮声、风的呼号……，这些自然的声音在录音机里显出它特别的美丽，它是那样自由，却又有一定的结构；它是那样无为，却又充满活力；它是那样单纯，却有着细腻的变化。每一次听的时候，我仿佛又回到自然的现场，坐在林间、山中、海滨、湖边，随着声音，整个风景重现了，使我清楚地回忆起那一次旅程停留过的地方和遇见的朋友。

常常，我把清晨的鸟鸣放入录音机，调好自动跳接的时间，然后安然睡去，第二天我就会在繁鸟的欢呼中醒来，感觉就像睡在茂密的林间。蝉声也是如此，在录音机的蝉声中睡醒，使我想起童年时代的午睡，睡在系在树上的吊床上，一醒来，蝉声总是充满耳际。

这些声音的再版，还能随着我们的心情调大调小，在我们心情愉快时，听起来就像大自然在为我们欢唱，在我们悲伤时，听起来仿佛它也在悲伤。其实，它们是一种广大而永恒的背景，让我们能在其中深思并反省。

（作者林清玄，根据教材需要有改动。）

生 词

1 再版 动词
zàibǎn
书刊第二次出版或印刷
to reprint; to republish

★ 最近，他的书再版了。

2 瞬间 名词
shùnjiān
[书面语]非常短的时间
in a twinkling; split-second

★ 那种美好的感觉瞬间就消失了。

3 吱吱喳喳 拟声词
zhīzhīzhāzhā
很多鸟发出的叫声

4 唤醒 动词
huànxǐng
[书面语]把正在睡觉的人叫醒
waken

★ 每天清晨，妈妈都在音乐声中把我唤醒。

5 海滨 名词
hǎibīn
靠近海的陆地
seashore; seaside

★ 海滨疗养院

6 交响乐 名词
jiāoxiǎngyuè
symphony

★ 雄壮的交响乐

7 演奏 动词
yǎnzòu
用乐器表演
perform; play

★ 他们演奏了贝多芬的第五交响乐。

8 雄壮 形容词
xióngzhuàng
(乐曲)充满力量和激情
full of power and grandeur

★ 雄壮的乐曲

9 序曲 名词
xūqǔ
歌剧等开场前演奏的乐曲，一般由交响乐队演奏
overture; prelude

10 溪流
xīliú
名词
山间的小股水流
brook; rivulet

11 茂密
máomì
形容词
树木长得又多又好
exuberant; flourishing

★ 茂密的森林

12 蝉
chán
名词
夏天在树上叫的一种昆虫
cicada

13 盛
shèng
形容词
事物达到高潮
reach a climax

14 庞大
pángdà
形容词
指规模、数量或程度大大超过通常的范围或标准
enormous

★ 庞大的企业　庞大的机构

15 偶尔
ǒu'ěr
副词
不常出现，有时候
occasionally; once in a while

★ 我们不常见面，只是偶尔通个电话。

16 潮
cháo
名词
海水的涨落
tide

★ 涨潮　退潮

17 轻缓
qīnghuǎn
形容词
动作或节奏又轻又慢
light and slow

★ 轻缓的音乐　轻缓的脚步

18 温和
wēnhé
形容词
平和；不厉害
kindly; gentle; mild

★ 他的态度/语气/性格很温和。

★ 昆明的气候很温和，不冷也不热。

19 *仿佛
fǎngfú
副词
[书面语]好像
as if; just like

★ 春天的风非常温和，仿佛是母亲的手。

20 教堂
jiàotáng
名词
church

★ 他每个星期天都去教堂作礼拜。

21 庄严 形容词
zhuāngyán
严肃而崇高
solemn; dignified; stately

★ 庄严的神情　庄严的气氛
★ 教堂里庄严的合唱

22 海鸥 名词
hǎi'ōu
海上常见的一种海鸟
sea gull

23 室内乐
shìnèiyuè
chamber music

24 风格 名词
fēnggé
艺术形式或人做事的方式
a style

★ 这个作家作品的风格非常独特。
★ 他做事的风格很干脆。
★ 各种风格的音乐我都喜欢。

25 田野 名词
tiānyě
田地野外
field

26 蛙鸣 名词
wāmíng
青蛙的叫声

★ 蝉鸣　鸟鸣

27 繁星 名词
fánxīng
很多星星

28 双重奏 动词
shuāngchóngzòu
两件或两组不同的乐器共同演奏
instrumental duet

29 逃避 动词
táobì
逃走避开；躲开不愿意或不敢面对的事物
escape; evade; avoid

★ 你不应该逃避现实／困难，你应该勇敢地面对。

30 冲突
chōngtū

动词，名词

互相对立
conflict, confliction

★ 我打工的时间和上课的时间冲突了。

★ 十几岁的孩子和父母之间常常会有／发生冲突。

31 偏爱
piān'ài

动词

在几个事物中特别喜爱其中的一个
show favoritism to sb./sth.

★ 妈妈很偏爱小儿子／那件红色的毛衣。

32 独奏
dúzòu

动词

通常指一个人用一种乐器演奏，有时也有其他乐器为其伴奏
solo

33 单纯
dānchún

形容词

简单，不复杂
simple; pure

★ 他的性格／思想／目的很单纯。

34 丰满
fēngmǎn

形容词

充足，达到所需要的程度或人体胖得适度好看(多用于女性)
full; plump

★ 他作品里人物的形象很丰满。

★ 他的妻子很丰满，而他则很瘦小。

35 采访
cǎifǎng

动词

记者为采集新闻和人们谈话
gather news, interview

★ 作为记者，我常常到各地去采访。

★ 去年夏天，我采访过她。

36 无为
wúwéi

道家思想，指要顺其自然，没必要有所作为
letting things take their own course

★ "无为"是道家重要的思想之一。

37 活力
huólì

名词

生命力
vigor; vitality; energy

★ 他的生活／他在工作中充满活力。

38 细腻 *xìnì* 形容词

细致；精细；深入

fine; minute; very detailed; accurate or precise

★ 她的性格／表演／描写很细腻。

39 现场 *xiànchǎng* 名词

事件或行动发生的地点

site scene of an accident

★ 案件发生后，警察迅速赶到了现场。

40 童年 *tóngnián* 名词

小时候

childhood

★ 每个人都觉得自己的童年非常美好。

41 吊床 *diàochuáng* 名词

两头挂在固定物体上的软床

hammock

42 调 *tiáo* 动词

弄合适

adjust

★ 请你把收音机的声音调小点儿。

43 悲伤 *bēishāng* 形容词

难过，书面语

sad; sorrowful

44 永恒 *yǒnghéng* 形容词

永远不变；永远存在

permanent; everlasting; perpetual

★ 在这个世界上，没有一样东西是永恒的。

45 背景 *bēijǐng* 名词

background

★ 事情的背景　作品的背景　有背景　背景音乐

46 反省 *fǎnxǐng* 动词

回头检查自己的内心和言行

introspection

★ 每个人都应该常常反省自己。

词语练习

一. 请你根据拼音写出汉字，然后把它们填在合适的句子里：

> bēishāng　huànxǐng　hǎibīn　tóngnián
> zhuāngyán　tiáo　　　wúwèi　qīnghuǎn

1. 在我(　　)的时候，每天清晨，妈妈都在(　　)的音乐声中把我(　　)。

2. 今年夏天天气很炎热，所以很多人到(　　)去度假。

3. 心情(　　)的时候，我很喜欢听教堂里(　　)的音乐。

4. 电视机声音太大了，请你(　　)小一点儿。

5. 中国道家(　　)的思想对中国人的影响很大。

> ǒu'ěr　fǎngfú　piān'ài　wēnhé
> cǎifǎng　fēnggé　māomì

6. 山上(　　)的森林里有小鹿和野兔。

7. 一般说来，父母总是(　　)最小的孩子。

8. 湖里荷花发出的淡淡清香,(　　)远处高楼上(　　)传来的歌声。

9. 地震发生当天，他就去现场(　　)。

10. 新上任的总理，看上去性格很(　　)，其实他办事(　　)非常强硬。

fēng mǎn	xiōngzhuàng	běijǐng
xìnì	chōngtū	dānchún

11. 老舍先生的名著《四世同堂》是以抗日战争为(　　)的。

12. 贝多芬(Beethoven)在创作(　　)的《第九交响乐》时，两耳已经听不到声音。

13. 她刚从学校毕业，没什么社会经验，思想很(　　)。

14. 她在影片中的表演很(　　)，从而使她拿到了今年最佳女演员奖。

15. 电视上说，这两个国家的(　　)有升级的可能。

16. 我觉得，长得(　　)一点儿没有什么不好。

二、请你从课文的生词表里找出可以和下面词语一起使用的形容词，然后用这个搭配造一个句子：

森林：

教堂的气氛：

交响乐：

室内乐：

爱情：

性格：

跨国公司：

孩子的思想：

表演：

三、请你查字典，看看下面词语和其中的黑体字是什么意思，然后再写出两个由这个黑体字组成的词语：

繁星	**繁**重	_____	_____
大**型**	小**型**	_____	_____
欢愉	**欢**呼	_____	_____
雄壮	**雄**伟	_____	_____
双重**奏**	演**奏**	_____	_____

语言点

一、……仿佛……

◎ 这早晨在海滨录下的鸟声，**仿佛**是一个大型的交响乐团，正演奏着雄壮的序曲。

▲说明：副词"仿佛"，表示"好像"的意思，是文学语体中的书面语。"仿佛"多用在第二个分句中，后面可以跟动词、形容词或小句。例如：

1.海潮的节奏是轻缓而温和的，仿佛是教堂里庄严的合唱。

2.每一次听的时候，我仿佛又回到自然的现场。

3.在我们悲伤时，听起来仿佛它也在悲伤。

二、一向

◎ 晚上的虫声与蛙鸣**一向**最热闹，……

▲说明："一向"，副词，表示某种行为或情况一直是这样，后面多跟动词和形容词性成分，表示习惯性行为或对事物的评价。例如：

1.我们一向星期五下午开会。

2.她一向不吃羊肉。

3.他们的关系一向很紧张。

三、尤其

◎ 晚上的虫声与蛙鸣一向最热闹，**尤其**是在繁星满天的夜晚，……

▲说明："尤其"，副词，多用在下面两种句型中：

(一)……，尤其＋动／形

(二)……，尤其是……

表示在全体中，某一类事物和其他事物相比，在某一方面特别突出。例如：

1.日本的东西特别贵，大阪的东西尤其贵。

2.多喝酒对身体不好，尤其影响心脏。

3.我喜欢吃水果，尤其是草莓。

四、反而

◎ 在生活上，它们互相吞吃或逃避，发出的声音，**反而**有一种冲突的美感。

▲说明："反而"是副词，用在句子的后半部分或后一个小句，表示事情的结果和前文情况下一般会出现的情形相**反**或出乎预料。例如：

1.春天来了，天气反而更冷了。
2.父母费尽心机起的名字反而成了个大麻烦。

五、何不……

◎ 如果不喜欢交响乐、合唱团、室内乐、双重奏，而偏爱独奏的话，**何不**选择有风的时候到竹林里去？

▲说明："何不"是"为什么不"的意思，是在某种情况下，用反问的口气向别人提出一个建议。例如：

1.A：过春节时，天气很冷，天天呆在家里，很无聊。
  B：那你何不去海南过春节？
2.你想学好英语，何不去英国住上一年？

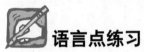 **语言点练习**

一、用所给词语完成对话或句子：

1.湖里荷花发出的淡淡清香，＿＿＿＿＿＿＿＿＿＿＿。(仿佛)

2.春天的风是这么温和，＿＿＿＿＿＿＿＿＿＿ 。(仿佛)

3.这早晨在海滨录下的鸟声，＿＿＿＿＿＿＿＿ 。(仿佛)

4.看着20年前在北大拍的照片，＿＿＿＿＿＿＿。(仿佛)

5.A：你是什么时候开始不吃肉的?

　 B：＿＿＿＿＿＿＿＿＿＿＿＿＿＿＿ 。(一向)

6.A：他为什么总住在疗养院?

　 B：＿＿＿＿＿＿＿＿＿＿＿＿＿＿＿ 。(一向)

7.A：听说这个地方的物价很高。

　 B：是啊，＿＿＿＿＿＿＿＿＿＿＿＿ 。(尤其)

8.A：你有什么爱好?

　 B：＿＿＿＿＿＿＿＿＿＿＿＿＿＿＿ 。(尤其)

9.发生一次冲突后，他们的关系＿＿＿＿＿＿ 。(反而)

10.A：公司改革后情况怎么样?

　　B：＿＿＿＿＿＿＿＿＿＿＿＿＿＿ 。(反而)

11.A：最近我心情一直不太好。

　　B：＿＿＿＿＿＿＿＿＿＿＿＿＿＿ ?(何不)

12.A：学校餐厅的饭我都吃腻了。

　　B：＿＿＿＿＿＿＿＿＿＿＿＿＿＿ ?(何不)

二、请你用本课重要的语言点造句：

★ 仿佛
★ 一向
★ 尤其
★ 反而
★ 何不

63

综合练习

一、请你读下面课文中的句子，注意黑体字的使用，并试着讨论这些词语中"而"的用法：

> 1. 风穿过竹林本身就是一种**单纯而丰满**的音乐。
> 2. 海潮的节奏是**轻缓而温和**的。
> 3. 变化不是太大，但却有一种**细致而美丽**的风格。
> 4. 它们是一种**广大而永恒**的背景。

二、你仔细听过大自然的声音吗？如果听过，请你写一段250字的话，来讲一讲当时的情况，请尽量使用课文里学过的词语和语言点。

三、你喜欢音乐吗？请你尽量使用下面的词语，围绕音乐这个话题来写一段250字的话：

交响乐	现场	丰满
室内乐	偏爱	充满
独奏	雄伟	细腻
演奏	庞大	悲伤
双重奏	轻缓	永恒
合唱	温和	仿佛
序曲	庄严	一向
背景	风格	尤其
冲突	单纯	反而

阅读　副课文

古典的人

30 多年前，我们曾经这样听过音乐。

在家里，六七个人围桌而坐，其中一名负责翻唱片(chàngpiàn)。大家约定，不许说话，不许抽烟。这一切像在进行宗教仪式(yíshì)。

唱片是老式的，三五分钟就要换一面。一首贝多芬(Bèiduōfēn)的《D 大调(dà diào)小提琴(xiǎotíqín)协奏曲(xiézòuqǔ)》被分散在 12 面上。音量被调得很轻，我们跟着贝多芬，去经受精神的洗礼(xǐlǐ)。那时候，外面的世界非常嘈杂(cáozá)，而充满音乐的屋内则是一个古典(gǔdiǎn)的世界，是一个人道的、正直的世界。

许多年过去了，当年从收音机中欣赏音乐的一代人，纷纷用高级音响、激光(jīguāng)唱片武装起来。我们可以坐在音乐厅里，欣赏第一流艺术家的演奏，音乐变得更丰满，更细腻了。然而，听音乐从生命的饥渴变成一种消遣(xiāoqiǎn)，渐渐地化为社交的一种形式，为他人而听，为所谓的"高雅"而听。喝着咖啡，说点俏皮话(qiàopíhuà)，或者彼此还接个吻(wěn)拉拉耳

唱片: disc

仪式: 典礼的秩序形式
贝多芬: Beethoven, 德国作曲家
大调: major
小提琴: violin
协奏曲: concerto
洗礼: 基督教的入教仪式。这里指让人的精神升华的过程
嘈杂: 声音杂乱扰人
古典: classical

激光唱片: LD

消遣: 娱乐

俏皮话: 开玩笑的话

接吻: kiss

朵，音乐彻底成为一种背景。

在这个满天明星没有月亮更不要太阳的时候，我常以<u>落伍者</u>(luōwǔzhě)的心态听着曾经热爱并继续热爱的古典音乐。我最喜欢听<u>巴赫</u>(Bāhē)的小提琴<u>奏鸣曲</u>(zōumíngqǔ)，仿佛是一条河，有时轻缓地流动，有时欢快地<u>奔腾</u>(bēnténg)，我喜欢听<u>莫扎特</u>(Mōzhātè)的钢琴协奏曲，仿佛是深山里清澈的溪流，没有一点污染，而贝多芬的《庄严<u>弥撒曲</u>(mísaqǔ)》，则告诉我<u>世俗</u>(shìsú)之外的寻求。这是人类为自己建造的天堂。在这里，有心灵的安宁与充实。

生在贝多芬、莫扎特、<u>柴可夫斯基</u>(Chāikěfūsījī)之后，是我们可遇而不可求的幸福。听着贝多芬《d<u>小调</u>第九交响曲》中的合唱，我相信，人穿得再<u>入时</u>(rùshí)，心却永远是古典的。

（选自陈村的《古典的人》，根据教材需要有改动）

落伍者:	思想行为落后于时代的人
巴赫:	Bach, 德国作曲家
奏鸣曲:	sonata
奔腾:	水流很快地向前
莫扎特:	Mozart, 奥地利作曲家
弥撒曲:	Mass
世俗:	世间一般的生活
柴可夫斯基:	Tchaikovsky, 俄国作曲家
小调:	minor
入时:	时髦

讨论题

1. 请你说一说文中30年以前听音乐的方式和今天有什么不同。
2. 你认为作者更喜欢哪一种欣赏音乐的方式？为什么？
3. 请说说你喜欢哪一种音乐，并说明理由。

第 5 课　燕子

预 习

> 　　请你预习课文，并试着回答下面的问题，看看课文的生词表里，有没有你需要的词语。

1 这篇课文的主题是什么？

A.孩子和父母之间的理解　　　B.人生中一些美丽的错误

C.人对故乡的思念　　　　　　D.燕子和乌秋的区别

2 根据课文，请你选择合适的词语填空，可以多选。

发毛　　疑惑　　好奇　　纳闷　　惊讶　　可惜　　感动
孤单　　兴奋　　沮丧　　失望　　欢喜　　悲伤

(1)有一个下午，父亲忽然要我给他唱首歌，很少被父亲这样注意过，我觉得很_____。

(2)当父亲知道歌里唱的并不是自己的家乡时，他感到很_____。

(3)当我第一次在田边看到燕子时，我心里非常_____。

(4)后来每次看到那种黑色的小鸟，我都_____地指给孩子们看。

(5)当我在田野里，抱着我的孩子，注视那一只安静的飞鸟时，心中又_____又_____。

(6)当我知道我看到的那种黑色的小鸟并不是燕子时，虽然周围有好多朋友，我却忽然觉得非常_____。

燕子

初中的时候，学会了那一首"送别"的歌，常常爱唱：

"长亭外，古道边，芳草碧连天……"

有一个下午，父亲忽然叫住我，要我从头再唱一遍。很少被父亲这样注意过，我心里觉得很兴奋，连忙又从头来好好地唱一次：

"长亭外，古道边……"

刚开了头，就被父亲打断了，他问我：

"**怎么**是长亭外，怎么不是长城外呢？我一直以为是长城外啊！"

我把音乐课本拿出来，想要向父亲证明他的错误。可是父亲并不要看，他只是很沮丧地对我说：

"好可惜！我一直以为是长城外，以为写的是我的老家，所以第一次听这首歌时就特别地感动，并且一直没有忘记，想不到这么多年**居然**是听错了，好可惜！"

父亲**一连**说了两个"好可惜"，然后就走开了，留下我一个人站在空空的屋子里，**不知道怎么办**好。

前几年刚搬到乡下的时候，我还怀着凯儿，听医生的嘱咐，一个人常常在田野里散步。那时候，山上种满了碧绿的树木，走在里面，可以听到各式各样的鸟鸣，我站在田野里，好多小鸟大胆地从我身边飞过。

我就是那个时候看到那一只孤单的小鸟的，在田边的电线杆上，在细细的电线上，它安静地站在那里，黑色的羽毛，像剪刀一样的双尾。

"燕子！"我心中像触电一样地呆住了。

可不是吗？这不就是燕子吗？这不就是我从来没有见过的燕子吗？这不就是书里说的，外婆歌里唱的那一只燕子吗？

在南国的温暖的阳光里，我心中开始一遍又一遍地唱起外婆爱唱的那一首歌来了：

"燕子啊！燕子啊！你是我温柔可爱的小燕子啊……"

在以后的好几年里，我都会常常看到这种相同的小鸟，每一次，我都会很兴奋地指给孩子看：

"快看！宝贝，快看！那就是燕子，那就是妈妈最喜欢的小燕子啊！"

怀中的凯儿正在咿呀学语，嘴里也随着我说出一些不成腔调的儿语。天好蓝，风好温柔，我抱着我的孩子，站在南国的田野里，注视着那一只黑色的安静的飞鸟，心中充满了一种朦胧的欢喜和一种朦胧的悲伤。

一直到了去年的夏天，我和几位画家朋友一起，到南部的公园去写生，在一本报道垦丁附近天然资源的画册里，我看到了我的燕子。图片上的它有着一样的黑色的羽毛，一样的剪刀般的双尾，然而，在图片下的解释和说明里，却写着它的名字是"乌秋"。

在那个时候，我的周围有好多的朋友，我却忽然觉得非常的孤单。在我的朋友里，有好多位在这方面很有研究心得的专家，我只要提出我的问题，一定可以马上得到解答，可是，我在那个时候惟一的反应，却只是把那本画册静静地合上，然后静静地走了出去。

在那一刹那，我忽然体会到多年以前的那一个下午父亲失望的心情了。**其实**，不必向别人提出问题，我自己心里也已经明白了自己的错误。但是，我想，虽然有的时候，在人生的道路上，我们应该面对所有的真相，可是，有的时候，我们实在也可以保有一些小小的美丽的错误，与人无害，与世无争，却能带给我们非常深沉的安慰的那一种错误。

我实在是舍不得我心中那一只小小的燕子啊！

（作者席慕蓉，根据教材需要有改动。）

生 词

1 燕子 名词
yànzi
一种黑色的鸟，有剪刀一样的尾巴
swallow

★ 一只燕子

2 送别 动词
sòngbié
送远行的人离开
see sb. off

3 长亭 名词
chángtíng
中国古代路边供行人休息的地方，常常被用作送行的场所

4 兴奋 形容词
xīngfèn
又高兴又激动
be excited

★ 听说明天的生物课要到动物园去上，孩子们兴奋地叫起来。

5 打断 动词
dǎduàn
使某一活动(语音、思维、行动)中断
interrupt, cut short

★ 你怎么总是打断我的话？
★ 你又把我的思路打断了。

6 沮丧 形容词
jǔsàng
灰心失望
depress

★ 看到自己的球队输了，很多球迷感到很沮丧。

7 可惜 形容词
kěxī
很美好或很不易得到的事物丢掉后舍不得的感觉
it's a pity; it is to be regretted

★ 你那么漂亮的头发居然剪掉了，真可惜！

8 *居然 副词
jūrán
表示说话人没有想到
unexpectedly

★ 在北京住了这么长时间，他居然没有去过天安门。

9 *一连 副词
yìlián
连续不断地
in succession

★ 我一连去了三趟，也没找到他。

10 乡下 名词
xiāngxia
农村
countryside

11 怀
huái
动词、名词
腹中有孩子；胸前
be pregnant; bosom

★ 刚搬到乡下的时候，我还怀着凯儿。

★ 怀我女儿的时候，我常常到颐和园去散步。

★ 她怀里抱着孩子。

12 嘱咐
zhǔfù
动词
告诉别人应该怎么做
to advise and urge

★ 妈妈打电话嘱咐我要好好吃早饭。

★ 听了医生的嘱咐，他已经戒烟了。

13 碧绿
bìlǜ
形容词
青绿色
viridity; dark green

★ 碧绿的树木　碧绿的湖水

14 大胆
dàdǎn
形容词
不怕危险或敢做事情
venture; bold; brave; daring; fearless

★ 胆子很大　胆子很小

★ 要想学好外语，一定要大胆地开口讲话。

15 孤单
gūdān
形容词
只有一个人，显得很孤独
alone; lonely

★ 孤孤单单的

★ 路灯下站着一个孤单的小姑娘。

16 电线杆
diànxiàngān
名词
架设电线用的杆子
a wire pole; a telephone pole;
a utility pole

★ 开车时，我不小心撞到了电线杆上。

17 羽毛
yǔmáo
名词
鸟类的毛
feather

18 剪刀
jiǎndāo
名词
使布、纸、绳等东西断开的铁制器具，两刃交错，可以开合。
scissors

★ 一把剪刀

19 触电
chù diàn
人和动物接触到电流
get an electric shock

★ 你别动那个插座，小心触电！

20 呆 dāi 动词
发愣
be in a daze; blankly

★ 听了那个消息，大家都呆住了。

21 外婆 wàipó 名词
母亲的母亲
grandmother

22 南国 nánguó 名词
[文学用语]南方
the southern part of the country;the South

23 温柔 wēnróu 形容词
亲切体贴
gentle and soft

★ 他有一个非常温柔的太太。

24 宝贝 bǎobèi 名词
对非常爱的人的亲热的称呼，多用于小孩儿
darling

★ 宝贝儿，快点儿，你要迟到了。

25 咿呀学语 yīyā xuéyǔ
小孩子学说话时发出似乎没有意义的声音
burble

★ 孩子从两个月时起就开始咿呀学语了。

26 腔调 qiāngdiào 名词
口音，语调
accent; intonation

★ 洋腔洋调　怪腔怪调
★ 他说话的腔调有点怪。

27 注视 zhùshì 动词
注意地看
look attentively at; watch with concern

★ 她深情地注视着熟睡的孩子。

28 朦胧 ménglóng 形容词
看不清或在感情上微微感觉到
dim; hazy; obscure

★ 朦胧的月光　朦胧的情感
★ 朦朦胧胧的

29 写生 xiěshēng 动词
直接以实物或风景为对象绘画
draw, paint or sketch from nature

★ 上中学时，我常常到野外去写生。

30 心得 xīndé 名词
在实践中体验或领会到的知识、想法等
what one has learned from work, study, etc.

★ 读完这本书后，写篇文章，说说你的心得。

31 惟一 wéiyī　*形容词*
只有一个，仅仅一个
only, sole

★ 她是我惟一爱过的人。

32 反应 fǎnyìng　*动词、名词*
对外界环境的改变产生的相应的变化
response; reaction

★ 事情发生得太突然，我一下子没有反应过来。
★ 我叫了他好几声，可是他一点反应都没有。

33 刹那 chànà　*名词*
非常短的时间
instant; split second

★ 在我看到她的一刹那，就喜欢上了她。

34 体会 tǐhuì　*动词、名词*
在实践中体验或领会到
know or learn (from experience); understanding

★ 在学习语言的过程中，我体会到坚持非常重要。
★ 教育孩子很不容易，做母亲以后，我对此有了很深的体会。

35 面对 miànduì　*动词*
指面对面，不逃开
confront; encounter; face

★ 我们应该面对现实，不应该逃避。

36 真相 zhēnxiàng　*名词*
真实的情况
the truth

★ 你不了解事情的真相。

37 与世无争 yǔshìwúzhēng　*成语*
在处世态度、行动上不和别人竞争
stand aloof from the worldly affairs

★ 这位诗人中年后回到农村，过着与世无争的生活。

38 深沉 shēnchén　*形容词*
感情等很深，不轻易露出来
deep (of degree); concealing one's real feelings (of emotion)

★ 他的性格/感情/目光很深沉。

39 安慰 ānwèi　*动词、名词*
用语言使别人心情好起来；使人心情好起来事物
comfort; console

★ 她最近心情不好，你去安慰安慰她吧。
★ 对妈妈来说，女儿的来信是一种安慰。

40 舍不得 shěbude
很爱惜，不愿意丢掉、离开或使用
not willing to give up / leave or use

★ 我真舍不得剪掉这头长头发。
★ 这件衣服，妈妈一直舍不得穿。
★ 奶奶要回乡下时，最舍不得小孙女。

词语练习

一、请你根据拼音写出汉字，然后把它们填在合适的句子里：

> yànzi　　wēnróu　　bìlǜ　　wàipó
> zhǔfù　　huái　　kěxī

1. 春天来了，风变得仿佛母亲的手一样(　　)，(　　)从南国飞回来，山上长满了(　　)的树木，到处都充满了生机。

2. 这么古老的城墙居然被毁掉了，好(　　)呀！

3. (　　)我女儿的那个夏天，我常常一个人去颐和园散步。

4. 他心脏不太好，医生(　　)他少吃油腻食品。

5. 在我童年的时候，每年暑假都要到乡下(　　)家去。

> jǔsàng　　dàdǎn　　yìlián　　tǐhuì　　zhǔshì
> dāi　　bǎobèi　　shēnchén　　chǎnà

6. 学外语一定要(　　)地开口说话，开始可能结结巴巴的，慢慢就流利了。

7. 排了半天队，也没有买到音乐会的票，真让人(　　)。

8. 我(　　)给他发了几封电子邮件，都没有收到回音。

9. 推开门的一(　　)，我(　　)住了，只见他静静地坐在一张靠窗的桌子旁，微笑地(　　)着我。

10. 望着怀里正在咿呀学语的(　　)，我第一次真正(　　)到母亲对孩子那种(　　)的爱。

> dǎduàn　　xīngfèn　　yǔshìwúzhēng
> ménglóng　　zhēnxiàng　　ānwèi　　xīndé

11. 听说明天的课要到动物园里去上，孩子们(　　)地欢呼起来。

12. 我刚开口，他就不客气地(　　)了我的话。

13. 中国道家提倡的(　　)的处事哲学，看上去似乎很消极，其实并不尽然。

14.那位学者说，虽然人生不过是美丽的海市蜃楼，可是很少有人敢面对这一(　　　)。

15.在(　　　)的月光下，花儿仿佛在牛奶中洗过一样。

16.看完这本书后，请你告诉我你的(　　　)。

17.她最近心情不好，你去(　　　)一下她吧。

二、请你在下面的形容词后填上合适的名词,然后用这个搭配造一个句子:

孤单的(　　　　　)　　温柔的(　　　　　　)　　深沉的(　　　　　　)

碧绿的(　　　　　)　　朦胧的(　　　　　　)　　惟一的(　　　　　　)

三、请你查字典，看看下面词语和其中的黑体字是什么意思，然后再写出两个由这个黑体字组成的词语:

可惜	**可**笑	_____	_____
温柔	**温**暖	_____	_____
安慰	**安**静	_____	_____
深沉	**深**刻	_____	_____
孤单	**孤**独	_____	_____

语言点

一、怎么(询问原因)

◎ **怎么**是长亭外，**怎么**不是长城外呢？我一直以为是长城外啊！

▲说明：这里的"怎么"用来询问原因，等于"为什么"。后面常跟动词或形容词成分，动词、形容词可以用否定式。用形容词成分时，前面常有"这么"、"那么"配合使用。例如：

1.你怎么来了？
2.屋里怎么这么黑？
3.你怎么不喜欢交响乐？

二、居然

◎ 想不到这么多年**居然**是听错了，好可惜！

▲说明："居然"，副词，说明事情是说话人没有想到的，表示一种惊讶的语气，后面多跟动词和形容词性成分。例如：

1.很多朋友抱起我的女儿，居然都不约而同地说："多可爱的胖小子！"
2.医生都说他的病没有希望了，想不到打了几个月太极拳，居然好了。
3.居然有这样的事？我不相信。

三、一连

◎ 父亲**一连**说了两个"好可惜"，然后就走开了。

▲说明："一连"，副词，表示连续不断地，后面常有表示数量的词语配合使用。例如：

1.他一连参加了五家公司的面试，可是都因为学历低没有被录用。
2.天太热了，我一连喝了三瓶矿泉水，还是不解渴。
3.他们一连去了几趟，总算见到了负责人。

四、不知道……好

◎ 留下我一个人站在空空的屋子里，**不知道**怎么办**好**。

▲说明：这个结构，表示不能确定正确的行动方式，"不知道"的后边常常跟带疑问词的成分。例如：

1.刚搬到城里的时候，没什么熟人，碰到麻烦，真不知道找谁帮忙好。

2.听了这个消息，她目瞪口呆，半天不知道说什么好。

3.衣服多了，有时候真不知道穿哪件好。

五、其实

◎ **其实**，不必向别人提出问题，我自己心里也已经明白了自己的错误。

▲说明："其实"，副词，后面常常跟小句，表示后面的情况才是真实的，表示轻微的转折或对前文的补充。例如：

1.听口音他像是北方人，其实他是上海人。

2.我一直以为这首歌写的是我的老家，其实这是一首外国歌曲。

3.大家都知道他是一位政治家，其实他的诗也写得好极了。

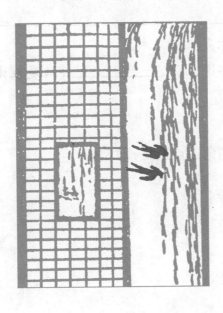

语言点练习

一、用所给词语完成对话或句子：

1. 你不是生病了吗？＿＿＿＿＿＿＿＿＿＿＿＿＿？（怎么）

2. 已经是12月了，天气＿＿＿＿＿＿＿＿＿＿？（怎么）

3. 你妈妈是音乐家，＿＿＿＿＿＿＿＿＿＿＿？（怎么）

4. 在学校时他们的关系并不好，＿＿＿＿＿＿＿＿。（居然）

5. 他在美国呆了三年，＿＿＿＿＿＿＿＿＿＿＿。（居然）

6. A：报纸上说，目前在原始森林里还有一些恐龙生活着。

   B：＿＿＿＿＿＿＿＿＿＿＿＿＿＿＿＿＿。（居然）

7. 比赛结束后，我渴极了，＿＿＿＿＿＿＿＿＿。（一连）

8. ＿＿＿＿＿＿＿＿＿，可是他一封信也没有回。（一连）

9. A：你买相机了吗？

   B：现在相机种类那么丰富，＿＿＿＿＿＿。（不知道……好）

10. A：你给孩子起好名字了吗？

    B：还没有，＿＿＿＿＿＿＿＿＿。（不知道……好）

11. 很多人以为中国道家与世无争的处世哲学是一种消极的生活态度，＿＿＿＿＿＿＿＿＿＿＿＿。（其实）

12. A：听口音你是南方人吧？

    B：很多人都这么说，＿＿＿＿＿＿，只是在南方呆的时间比较长。（其实）

二、请你用本课重要的语言点造句：

★ 怎么(问原因)

★ 居然

★ 一连

★ 不知道……好

★ 其实

综合练习

一、请你在下面的句子中填上合适的动词补语，然后对照课文，看填得是否正确：

1. 有一个下午，父亲忽然叫（　　）我，要我从头再唱一遍。

2. 父亲一连说了两个好可惜，然后就走（　　）了，留（　　）我一个人站在空空的屋子里，不知道怎么办好。

3. "燕子！"我心中像触电一样地呆（　　）了。

4. 在南国的温暖的阳光里，我心中开始一遍又一遍地唱（　　）外婆爱唱的那一首歌（　　）了。

5. 怀中的凯儿正在咿呀学语，嘴里也随着我说（　　）一些不成腔调的儿语。

6. 我在那个时候惟一的反应，却只是把那本画册静静地合（　　），然后静静地走了（　　）。

7. 其实，不必向别人提（　　）问题，我自己心里也已经明白了自己的错误。

二、请你根据下面的提示，简单地复述课文，然后把你复述的内容写成一段300字左右的话。

有一个下午，父亲要我给他唱首歌……

前几年，我刚搬到乡下的时候……

去年夏天……

三、请你写一段300字左右的话，至少使用10个下面的词语：

兴奋	可惜	沮丧	嘱咐	孤单
温柔	注视	朦胧	心得	惟一
反应	刹那	体会	面对	真相
与世无争	深沉	安慰	舍不得	居然
一连	其实	不知道……好		

阅读　副课文

美丽的错误

　　记得小学五年级时，语文课本的第一课，题目是《长城》。

　　"长城，仿佛是一条长龙，<u>蜿蜒</u>(wānyán)<u>盘旋</u>(pánxuán)在<u>崇山峻岭</u>(chóngshān jùnlǐng)之间，从东边的山海关到西边的嘉峪关，有一万两千多里。在飞往月球的<u>宇航员</u>(yǔhángyuán)<u>拍摄</u>(pāishè)的照片上，可以清楚地看到我国的长城。"

　　这篇20多年前学过的课文，至今我仍然可以流利地背出来，因为它曾经被少年的我深情地朗读过无数次。在清晨的校园里，在黄昏的阳台上，有时候是站在老师的讲桌前，有时候是靠在爸爸的摇椅旁。每次读到这一段，我心中就充满<u>自豪感</u>(zìháogǎn)。老师说，万里长城是惟一能从月亮上看到的地球上的人工<u>杰作</u>(jiézuò)。

蜿蜒：像蛇一样爬行的样子
盘旋：曲折前行
崇山峻岭：高山
宇航员：航行于地球大气层以外的人
拍摄：照照片

自豪感：骄傲的感觉

杰作：出色的作品

多么伟大的长城，这就是无数诗人和画家笔下，就是无数歌曲里唱过的长城。中国有句俗话(súhuà)"不到长城非好汉(hǎohàn)"，长城在中国人的心目中有着非常重要的位置。远离祖国时，中国人这样感叹"长江、长城、黄山、黄河，在我心中重千斤"，国家危难(wēinàn)时，中国人发出这样的喊声："万里长城永不倒！""把我们的血肉筑成我们新的长城！"难怪有一首歌里这样唱道："你要问长城在哪里，它就在你我的心上。"对中国人来说，长城绝不只是长长的石头墙，它是一个符号，一种象征。

多少次，我拿着长城的图片，对怀中的女儿说："看，宝贝，这是长城，从月亮上都可以看到。"又有多少次，我指着月亮，对她讲："看，宝贝，那是月亮，从上面可以看到咱们国家的长城！"多少年来，对这件事，我从来没有怀疑过。而且，我相信，很多像我一样学过那篇课文的人也都如此。对中国人来说，这似乎已是一个常识。

直到有一天，我偶然(ǒurán)在一本杂志上，看到一篇简短的文章：在月亮上看不到长城！文章里说"从月球上看到长城，就像从384公里外看见一个苹果，是同等的错误。"

想想看，这实在是个普通常识啊。然而，居然有很多人对这样一种违背常识的说法深信不疑(shēnxìnbùyí)，虽然后来我又在很多报刊上看到过类似(lèisì)的更正的文章，但人们对这种更正似乎并不重视，很多人在谈到长城时仍在重复那一错误的说法。

俗话：民间流传的通俗语句
好汉：英雄

危难：危险和灾难

偶然：意想不到的

深信不疑：非常相信，一点都不怀疑
类似：差不多的

最近，当中国第一个飞往太空的宇航员返回地面后，我注意到，在众多记者的采访中，没有一个人提出"在太空中究竟能不能看到长城"这样的问题。其实，不必问，大家心里已经明白这是一个错误。但这实在是一个美丽的错误，谁能舍得让它实实在在地破灭(pòmiè)呢？

破灭：落空

讨论题

1.请你说一说文中美丽的错误是什么？
2.人们为什么舍不得这个美丽的错误？
3.你碰到过什么美丽的错误吗？请你讲给大家听。

第6课　我的梦想

预习

请你预习课文，并试着回答下面的问题，看看课文的生词表里，有没有你需要的词语：

1 这篇课文的主题是什么？

A.体育迷的白日梦　　　　B.田径的美

C.人生的意义　　　　　　D.人的局限

2 根据课文内容填空：

(1)作者虽然腿有 _____，却是个 _____，他喜欢看电视上的各种 _____。

(2)他最喜欢的体育项目是 _____，刘易斯是他的 _____，他相信刘易斯是世界上最 _____ 的人。

(3)但是，在 _____ 上，刘易斯却 _____ 了约翰逊，这使作者感到 _____。

(4)他明白，即使一个人能跑出九秒五九，也仍然意味着 _____。幸福要在 _____ 自我局限的道路上去理解。

(5)最后，作者希望来世既有一个 _____ 的身体，又有一个懂得人生意义的 _____。

课 文

我的梦想

也许是因为人缺了什么就更喜欢什么吧，我虽然两条腿有残疾，却是个体育迷。我不光喜欢看足球、篮球以及各种球类比赛，也喜欢看田径、游泳、拳击、滑冰、滑雪、自行车和汽车比赛，**总之**，我是个全能体育迷。当然都是从电视上看，体育场馆门前都有很高的台阶，我上不去。如果这一天电视里有精彩的体育节目，我一天当中无论干什么心里都想着它，一分一秒都过得很愉快。

我最喜欢田径。我能说出所有田径项目的世界记录是多少，是由谁保持的，保持的时间是长还是短。这些记录是我顺便记住的，田径运动的魅力不在于记录，而在于它能充分展现出人的力量、意志和优美，因此，**在我看来**，它比任何舞蹈都好看。看一些世界著名运动员奔跑，你会觉得他们是从人的原始跑来，向人的未来跑去，这样的奔跑是最自然的舞蹈和最自由的歌。

我最喜爱和羡慕的人是刘易斯，他是我心中的偶像。他身高一米八八，长得肩宽腿长，随便一跑就是十秒以内，随便一跳就在八米开外，而且在最重要的比赛中他的动作也是那么潇洒。有时候，我真恨不得马上变成他，因此，我常暗自祈祷，假若人真能有来世，我不要求别的，只要求有刘易斯那样

一副健美的身体就好。我**之所以**有这样的白日梦，**是因为**现实中的这个我太令人沮丧，才想出这个法子来给自己一点安慰。总之，我对刘易斯的喜爱和崇拜与日俱增，相信他是世界上最幸福的人。

奥运会上，刘易斯输给约翰逊的那个中午我沮丧极了，直到晚上心里还是别别扭扭的，夜里也没睡好觉。眼前老出现中午的场面：所有的人都在向约翰逊欢呼，所有的旗帜与鲜花都在向约翰逊挥舞，浪潮般的记者们簇拥着约翰逊走出赛场，而刘易斯则被冷落在一旁。一连几天我都闷闷不乐，我似乎比刘易斯还败得惨。这不是怪事么？在外人看来，这不是精神病么？我慢慢去想其中的原因。到底为什么呢？最后我知道了：我看见了所谓"最幸福的人"的不幸，刘易斯那茫然的目光使我的"最幸福"的概念完全动摇了。上帝从来不给任何人"最幸福"这三个字，他在所有人的欲望前面设下永恒的距离，公平地给每一个人以局限。如果不能在超越自我局限的无尽路途上去理解幸福，那么我的不能跑与刘易斯的不能跑得更快就完全等同，都是沮丧与痛苦的根源。假若刘易斯不能懂得这些事，我相信，在那个中午，他一定是世界上最不幸的人。

在百米决赛后的第二天，刘易斯在跳远比赛中跳出了八米七二，他是好样儿的。看来他懂，他知道奥林匹斯山上的圣火为何而燃烧，那不是为了一个人把另一个人战败，而是为了有机会表现人类的不屈，命定的局限虽然永远存在，但是不屈的挑战却也从未缺席。

这样一来，我的白日梦就需要重新设计一番了。至少我不再愿意用我领悟到的这一切，仅仅去换一个健美的身体，原因很简单，我不想在来世的某一个中午成为最不幸的人。**即使**人可以跑出九秒五九，**也**仍然意味着局限。我希望既有一个健美的身体，又有一个领悟了人生意义的灵魂。但是，前者可以向上帝祈祷，后者却必须在千难万苦中靠自己去获得。

（作者史铁生，根据教材需要有改动。）

生 词

1 残疾
cánjí
名词
身体某部分或其生理功能上的缺陷
a disability; a handicap

★ 残疾人
★ 他的身体有残疾。

2 体育迷
tǐyùmí
对体育比赛狂热爱好而着迷的人，
通常是作为观众而不是直接参加者
sports fan

★ 他是一个体育迷，喜欢
看各种体育比赛。

3 田径
tiánjìng
名词
田赛和径赛运动项目的统称，包括
各种跳跃、投掷、赛跑和竞走等
track and field

★ 田径比赛　田径运动会

4 拳击
quánjī
动词
一项体育运动，两人戴着特制的皮
手套，用双拳攻击和防卫
boxing

★ 我不喜欢看拳击比赛。

5 滑冰
huá bīng
穿着冰鞋在冰上滑行的一种体育运
动
ice-skating

★ 以前我从来没有滑过冰。

6 全能
quánnéng
形容词
在规定的范围内样样都行
all-around; be all powerfull

★ 五项全能冠军

7 项目
xiàngmù
名词
事物按性质分成的类
an item; an event

★ 体育项目　比赛项目

8 记录
jìlù
名词
在一定时期和范围内记载下来的最
好成绩
record

★ 他打破了由他自己保持
的世界记录。

9 保持
bǎochí
动词
使某种状态不消失或减弱
keep; remain; hold (a record)

★ 保持安静　保持中立
记录保持者

10 顺便 *副词*
shùnbiàn
做某事时带着做，不是特地做的
in passing; at one's convenience

★ 回家的路上，我顺便去了趟超市。

11 魅力 *名词*
mèilì
强大的吸引力
fascination, charm

★ 这项运动充满魅力。
★ 她很有魅力。

12 展现 *动词*
zhǎnxiàn
[书面语]露出某种特性
emerge

★ 这个古老的小镇展现出无穷的魅力。

13 意志 *名词*
yìzhì
决定达到某种目的而产生的心理状态
purpose; will

★ 不管做什么，都需要有坚强的意志。

14 优美 *形容词*
yōuměi
动作、风景等很美丽
graceful; fine; exquisite

★ 这个体操运动员的动作很优美。
★ 颐和园的风景非常优美。
★ 他写了很多优美的诗歌。

15 舞蹈 *名词*
wǔdǎo
dancing

★ 他的专业是少数民族舞蹈研究。

16 奔跑 *动词*
bēnpǎo
[书面语]快速地跑
run

17 原始 *形容词*
yuánshǐ
人类最初期的或简单而落后的
primitive

★ 原始社会　原始森林　原始部落
★ 这种用牛耕地的方法太原始了。

18 羡慕 *动词*
xiànmù
看到别人的长处，希望自己也有
envy

★ 她长长的头发真让人羡慕。
★ 我很羡慕你有这么好的父亲。

19 偶像 *名词*
ǒuxiàng
人心中崇拜的对象
idol

★ 这个足球运动员是他心中的偶像，他的屋子里贴满了这位球星的照片。

20 潇洒
xiāosǎ
形容词
动作、穿着等自然大方或指生活很自由
natural and unrestrained (of one's appearance and manner)

★ 他的动作／举止／穿着很潇洒。
★ 他只要赚到钱，就四处旅游，活得很潇洒。

21 恨不得
hènbude
副词
非常想做一件事，可是做不到
itch to; how one wishes one could

★ 听到妈妈生病的消息，他恨不得立刻飞回家去。

22 祈祷
qídǎo
动词
向神祝告求福
pray; say one's prayers

★ 祈祷和平　祈祷平安
★ 让我们为他祈祷吧！
★ 你还是向上帝祈祷吧。

23 假若
jiǎruǒ
连词
[书面语]如果
provided; suppose; if

★ 假若你感到身体不适，就一定要停止工作。

24 来世
láishì
名词
下一辈子；来生
future life; next life

★ 佛教认为人有来世。

25 健美
jiānměi
形容词
身体健康而漂亮
vigorous and graceful; be strong and handsome

★ 健美的身材　健美的体形
★ 健美运动

26 白日梦
báirìmèng
比喻不可能实现的幻想
daydream; fantasy

★ 你不要整天做白日梦了。

27 崇拜
chóngbài
动词
尊敬佩服
adore; worship

★ 他很崇拜秦始皇／那位英雄／上帝。

28 与日俱增
yǔrìjūzēng
成语
一天比一天多，增长得很快
multiply daily; grow with each passing day

★ 随着交往的增多，我对她的好感／了解与日俱增。

29 奥运会
Āoyùnhuì
名词
Olympic Games

★ 开奥运会
★ 2004年奥运会是在雅典举行的。
★ 2008年奥运会由北京举办。
★ 他参加过3届奥运会。

30 别扭
bièniu
形容词

不舒服

uneasy; not smooth

★ 听了他的话,我心里很别扭。
★ 你这个句子听起来有点儿别扭。

31 场面
chǎngmiàn
名词

事情发生时的情景

a scene

★ 奥运会虽然结束了,可是我们还记得当时热烈的场面。

32 旗帜
qízhì
名词

各种旗子的总称

banner; flag

33 挥舞
huīwǔ
动词

举起手臂连同手里的东西一起来回动

wave (an item)

★ 他们挥舞着旗帜给运动员加油。

34 簇拥
cùyōng
动词

很多人紧紧围绕着或卫护着

cluster around; surround

★ 记者们簇拥着获胜的选手走出赛场。

35 冷落
lěngluò
动词

在热闹的场合忽视或冷淡地对待

leave out in the cold; snub; cold-shoulder

★ 受冷落 被冷落 冷落了客人

36 闷闷不乐
mènmènbùlè
成语

心情不愉快

be depressed; be in low spirits

★ 他因为丢了钱包,一整天都闷闷不乐的。

37 惨
cǎn
形容词

[常用于口语]很糟糕,很厉害,程度很严重

terrible

★ 这次我们输得很惨。
★ 孩子被打得很惨。
★ 你没有带钥匙?我也没有带。这下惨了,我们进不了屋子了。

38 外人
wàirén
名词

指某个范围以外的人,没有关系的人

outsider

★ 我们自己家的事情,不要随便对外人讲。
★ 她的隐私从来不让外人知道。

89

39 茫然 **形容词**
mángrán
指表情困惑、不知怎么办的样子
in an absent way; blankly

★ 老师没有解释清楚作文的要求,学生们感到很茫然。
★ 看他茫然的表情,就知道他肯定不知道这件事情。

40 动摇 **动词**
dòngyáo
不坚定,不稳固
waver

★ 我对他的信任完全动摇了。

41 欲望 **名词**
yùwàng
强烈的愿望
desire

★ 他对金钱有强烈的欲望。

42 局限 **动词**
júxiàn
限制在狭小的范围内
limit; confine; limitation

★ 他写的文章局限于学校生活/有一定的局限性。
★ 这个孩子的教育受到了家庭经济条件的局限。

43 超越 **动词**
chāoyuè
越过,战胜
exceed; surmount; overstep

★ 超越局限 超越自我 超越极限

44 根源 **名词**
gēnyuán
使事物发生的根本原因
causation; root

★ 交通问题之所以如此严重,根源在于道路设计不合理。

45 决赛 **名词**
juésài
体育比赛中决定第一名的比赛
(of sports) finals

★ 四分之一决赛 半决赛
★ 我们球队已经进入/参加了决赛。

46 好样儿的
hǎoyàngrde
很出色的
great fellow

★ 你每门功课都是满分,真是好样儿的。

47 圣火 **名词**
shènghuǒ
奥运会的火炬
Olympics torch

★ 在希腊点燃了奥林匹克的圣火。

48 燃烧 **动词**
ránshāo
[书面语]烧
burn

★ 大火如果燃烧起来,就很难熄灭。

49 不屈 形容词
bùqū
[书面语]不让步
unyielding; not give in

★ 不屈的生活态度

50 挑战 动词
tiǎozhàn
鼓动对方跟自己竞赛
challenge

★ 向……(发出)挑战 面对挑战
★ 接受……的挑战

51 缺席 动词
quēxí
没有出席；该到没有到
miss; absent

★ 昨天的会议有很多人缺席。

52 番 量词
fān
次、回，多表示动作的时间长或困难大

★ 爸爸给我讲了一番努力学习的道理。
★ 不研究一番，怎么能解决问题？

53 领悟 动词
lǐngwù
体会或明白了某种道理
comprehend; have a true grasp

★ 母亲的去世使她领悟到人生很短暂。

54 意味着
yìwèizhe
在一件事情中包含着某种意思
mean; signify; imply

★ 这学期他有三门课不及格，这就意味着他必须重读一年。

55 灵魂 名词
línghún
附于人体的精神
soul; spirit;

★ 你相信人死后还有灵魂存在吗？

专名

1. 刘易斯(Lewis)   Liúyìsī   世界著名田径运动员
2. 约翰逊(Johnson)   Yuēhànxùn   世界著名田径运动员
3. 奥林匹斯山(Olympus) Àolínpǐsīshān 古希腊诸神所在的山

词语练习

一、请你根据拼音写出汉字，然后把它们填在合适的句子里：

> quánjī　　chǎngmiàn　　yìzhì
> měilì　　shùnbiàn　　lěngluò

1. 我不太喜欢看(　　　　)比赛，因为我受不了那种打斗的(　　　　　)。

2. 这个古老的城市充满了(　　　　)。

3. 回家的路上，我(　　　　)去了一趟超市。

4. 大人们只管自己说话，孩子觉得自己受了(　　　　)，所以哭起来了。

5. 要参加十项全能的比赛，需要有坚强的(　　　　)。

> xiāosǎ　　biēniu　　yuánshǐ
> xiànmù　　qídǎo

6. 他的普通话那么标准，真让人(　　　　)。

7. 据说这个地区还有很多(　　　　)部落。

8. 他奔跑起来，动作非常(　　　　)。

9. 让我们为和平(　　　　)吧。

10. 这个句子听起来有点儿(　　　　)，中国人一般不这么说。

> ǒuxiàng　　chóngbài　　Àoyùnhuì
> cǎn　　jiānměi　　cùyōng

11. 很多人(　　　　)足球明星，把他们看成是自己的(　　　　)。

12. 为了减肥，最近她报名参加了一个(　　　　)班。

13. 记者们(　　　　)着刚刚获奖的选手走出机场。

14. 为了举办(　　　　)，这个城市修建了很多设计新颖的体育馆。

15. 这次比赛我们队输得真(　　　　)，居然一个球都没进。

> gēnyuán　　huīwǔ　　dōngyáo
> quēxí　　　tiǎozhàn

16.赛场上，啦啦队(　　　　　)着旗帜为选手们加油。

17.在儒、道、佛看来，欲望是痛苦的(　　　　　)。

18.无论碰到多大的困难，我的梦想都不会(　　　　　)。

19.我知道自己的汉语水平不太高，但还是希望换到高一点的班去
　　给自己一点(　　　　　)。

20.昨天的会议有很多人(　　　　　)。

二、请你在下面的形容词后填上合适的名词：

优美的(　　　)　　永恒的(　　　)　　茫然的(　　　)

健美的(　　　)　　潇洒的(　　　)　　精彩的(　　　)

三、请你根据下面所给的意思写出一个本课学过的词语，然后用这个词语造
　　一个句子：

1.一天比一天多，增长得很快。(　　　　　)

2.心情很沮丧，不开心。(成语) (　　　　　)

3.如果(书面语) (　　　　　)

4.看到别人的长处，希望自己也有。(　　　　　)

5.一件事情中包含着的意思(　　　　　)

四、请你说出下面句子中划线词语的意思，并用这个词语造句：

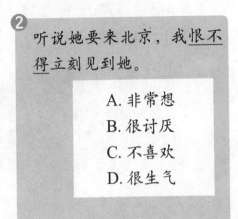

①

有人说，婚姻好像穿鞋子，
舒服不舒服只有脚知道，
外人只能看到表面。

A.外国人

B.外地人

C.局外人

D.陌生人

②

听说她要来北京，我恨不
得立刻见到她。

A.非常想

B.很讨厌

C.不喜欢

D.很生气

3

听了她的话，我心里
<u>别扭</u>极了。

    A. 不同意
    B. 不舒服
    C. 不明白
    D. 不在意

4

你真是<u>好样儿的</u>，这么
快就完成了。

    A. 长得很漂亮
    B. 做得很出色
    C. 设计的式样很好
    D. 别人的榜样

五、请你查字典，看看下面词语和其中的黑体字是什么意思，然后再写出两
    个由这个黑体字组成的词语：

体育**迷**	球**迷**	_____	_____
保持	**保**护	_____	_____
精彩	**精**美	_____	_____
奔跑	**奔**驰	_____	_____
茫**然**	突**然**	_____	_____

语言点

一、总之

◎ 我不光喜欢看足球、篮球以及各种球类比赛，也喜欢看田径、游泳、拳击、滑冰、滑雪、自行车和汽车比赛，**总之**，我是个全能体育迷。
▲说明："总之"是连词，它后面的话用来总结前文，得出一个概括性的结论，"总之"后常常用逗号。例如：

1. 这里春天刮大风，夏天下大雨，秋天闹霜冻，冬天来寒流，总之，不太适合养花。
2. 我喜欢音乐，我妹妹喜欢美术，我哥哥喜欢文学，总之，我们兄妹几个都喜欢艺术。
3. 这种鸟的名字我一下子想不起来了，总之，不是燕子。

二、在……看来

◎ 因此，**在我看来**，它比任何舞蹈都好看。
▲说明："在……看来"用来介绍出某人的看法，相当于"……认为"。使用这个结构，语气比较正式。例如：

1. 在我看来，知音是可遇而不可求的。
2. 在外人看来，他们是模范夫妻，其实，他们之间有很多冲突。

三、之所以……是因为……

◎ 我之所以有这样的白日梦，**是因为**现实中的这个我太令人沮丧。
▲说明：这个结构用来连接原因和结果，"之所以"后面是结果或结论，"是因为"后面是原因和理由。使用这一结构，可以使后面的原因和理由更加突出。"是因为"也可以用"是由于"等。例如：

1. 他之所以没有被录用，是因为他的学历太低。
2. 足球比赛之所以充满魅力，是因为它的结果有一定的偶然性。
3. 在那位著名历史学家看来，中国之所以能长期保持统一，是由于地理、文化等方面的原因。

四、这样一来

◎ **这样一来**，我的白日梦就需要重新设计一番了。

▲说明："这样一来"用来连接分句或段落，它的前面说出某种情况，后面说明在这种情况下事情发生的变化。它后面的小句中常常带有"了"等表示变化的成分。例如：

1. 河流和湖泊都受到了严重的污染，这样一来，许多人就不必再学游泳了。
2. 市政府修建了多条地铁，这样一来，交通堵塞的问题终于解决了。

五、即使……也……

◎ **即使**人可以跑出九秒五九，**也**仍然意味着局限。

▲说明：这个结构表示假设和让步，前面常表示一种假设情况，后面表示结果或结论不受这种情况的影响。和"就是……也……"用法基本相同，但多用在书面语中。例如：

1. 即使明天天气不好，我们也还是要去郊游。
2. 即使再忙，也不应该忽视孩子的教育。
3. 即使是荒岛上的鲁滨逊，也需要一个"礼拜五"。

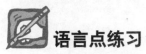 **语言点练习**

一、用所给词语完成对话或句子：

1. 日本、韩国、泰国，_____都受到过中国文化的影响。(总之)

2. 森林变成了沙漠，空气和水受到了污染，气温也在变暖，_____ 。(总之)

3. 不管你学钢琴还是学小提琴，_____。(总之)

4. A：你认为我们有必要开一门写作课吗？
   B：_____。(在……看来)

5. A：你觉得，中国的标志是什么？
   B：_____。(在……看来)

6. A：你知道中国为什么要实行"计划生育"的政策吗？
   B：_____。(之所以……是因为……)

7. A：爸爸看起来怎么那么沮丧？
   B：_____。(之所以……是因为……)

8. A：你们队的实力那么强，怎么会输得这么惨？
   B：_____。(这样一来)

9. A：昨天的音乐会你怎么没有去听？
   B：_____。(这样一来)

10. A：你们是怎么成为朋友的？
    B：_____。(这样一来)

11. A：听说他很穷，你还打算嫁给他吗？
    B：_____。(即使……也……)

12. A：我们公司一定要进行人事制度改革吗？
    B：是的，_____。(即使……也……)

13. A：在课堂上，我总是不敢开口讲汉语，怕出错。
    B：没关系的，_____。(即使……也……)

14. A：明天的足球比赛一定举行吗？
    B：当然，_____。(即使……也……)

二、请你用本课重要的语言点造句：

★ 总之　　　★ 在……看来　　　★ 之所以……是因为……

★ 这样一来　　　★ 即使……也……

综合练习

一、请你在下面的句子中填上合适的动词补语，然后对照课文，看填得是否正确：

1. 体育场馆门前都有很高的台阶，我上不（　　　　）。

2. 我能说（　　　　）所有田径项目的世界记录是多少。

3. 这些记录是我顺便记（　　　　）的。

4. 田径运动的魅力在于它能充分展现（　　　　）人的力量、意志和优美。

5. 看一些世界著名运动员奔跑，你会觉得他们是从人的原始跑（　　　　），向人的未来跑（　　　　）。

6. 我之所以有这样的白日梦，是因为现实中的这个我太令人沮丧，才想（　　　　）这个法子来给自己一点安慰。

7. 他在所有人的欲望前面设（　　　　）永恒的距离。

8. 刘易斯在跳远比赛中跳（　　　　）了八米七二。

9. 我不再愿意用我领悟（　　　　）的这一切，仅仅去换一个健美的身体。

10. 即使人可以跑（　　　　）九秒五九，也仍然意味着局限。

二、请你先读下面三段课文，然后根据后面的提示，写三段话。

1. **也许是因为**人缺了什么就更喜欢什么**吧**，我虽然两条腿不能动，**却是**个体育迷。我**不光**喜欢看足球、篮球**以及**各种球类比赛，**也**喜欢看田径、游泳、拳击、滑冰、滑雪、自行车和汽车比赛，**总之**，我是个全能体育迷。

> *请你仿照这段话，使用黑体部分的词语和格式，写一段不超过150字的短文，说说自己的爱好。

2. 我最**喜爱**和**羡慕**的人是刘易斯,他是我心中的**偶像**。他**身高**一米八八,**长得**肩宽腿长,随便一跑就是十秒以内,随便一跳就在八米开外,而且在最重要的比赛中他的动作也是那么潇洒。

> *请你仿照这段话,使用黑体部分的词语和格式,写一段不超过150字的短文,描写一下你自己的偶像。

3. 眼前老出现中午的场面:所有的人都在**向**约翰逊**欢呼**,所有的**旗帜**与**鲜花**都在**向**约翰逊**挥舞**,**浪潮般**的记者们**簇拥**着约翰逊走出**赛场**,**而**刘易斯**则**被冷落在一旁。

> *请你仿照这段话,使用黑体部分的词语和格式,写一段不超过150字的短文,描写一个你自己看到过的体育比赛的场面。

阅读　副课文

即使所有的青藤树都倒了

　　"即使所有的青藤(téng)树都倒了，你也要站着，即使全世界都沉睡了，你也要醒着。"六年前，我把这句话写在他的笔记本上，然后告别母校，各奔东西。

　　他给我印象最深的是沿着校园长跑的背影，拖着<u>残疾(cánjí)</u>的右腿，一<u>跛(bǒ)</u>一跛的，迎接着一张张表情各异的面孔和一双双好奇的眼睛。足球场上，他在"<u>瘸子(quézi)</u>，射门！"的叫喊声中跌倒，又爬起来……

残疾：身体有缺陷
跛：腿或脚有毛病

瘸子：腿脚有毛病
　　　的人

　　六年的光阴不算长，想起从前却<u>恍如隔世</u>(huǎngrúgéshì)。这期间，我与很多同龄人一样，承受了不少原以为承受不起的东西，但即使在绝望的时候，也不曾用<u>勉励(miǎnlì)</u>别人的英雄主义诗句来自勉，仿佛那种精神已全部赠与别人，而不再属于自己。但每当碰到困难，眼前就出现他一跛一跛的背影，于是很<u>艰难(jiānnán)</u>地学会将痛苦与<u>耻辱(chǐrǔ)</u>变成人生的财富，咬咬牙，像真正的英雄那样对自己说："我不入<u>地狱(dìyù)</u>谁入地狱。"为此，我对他充满感激。不想，六年后的今天相遇，他竟真诚地告诉我，直到现在，他还在读那几句留言，"即使所有的青藤树都倒了……"他<u>脱口而出(tuōkǒuérchū)</u>。六年来，他的工作和生活都经历了很多不幸，他说是这几句留言使他的梦想没有动摇。

　　我一下子愣住了，原来我们每个人都可以在有意

恍如隔世：好像隔了
　　　　　一辈子

勉励：鼓励

艰难：很困难
耻辱：特别丢脸
地狱：hell

脱口而出：一下子说
　　　　出来

无意中给别人很多很多，同样，也可以<u>剥夺</u>(bōduó)别人很多很多。岁月<u>流逝</u>(liúshì)，我们抓住了什么，又放弃了什么？

　　每一个别人都同自己一样充满了<u>渴望</u>(kěwàng)：一声呼唤、一个微笑、一道目光、一纸<u>信笺</u>(xìnjiān)、一个电话、一种关注，甚至仅仅是那么一种认可或容忍，而我们却常常<u>忽略</u>(hūlüè)。每个人心中都有一片绿阴，却不能汇成森林；每个人都在呼唤，却总是不能互相答应。

　　其实，论年龄，我们还年轻，但究竟是什么使我们的感觉日渐<u>迟钝</u>(chídùn)？我们告诉自己，要花点时间在生命中的大事上，却从来也找不出时间，早上刚起床，就有一大堆事要做：打开窗子，铺床，冲澡，刷牙，喂狗，喂猫，清扫昨晚留下来的垃圾，发现糖或咖啡没了，出去采购回来，做早餐……然后，有衣服要整理、挑选、<u>熨</u>(yùn)平，还要梳头发、化妆。整天都是电话和小计划，事情竟然这么多！

我们的生活似乎在代替我们过日子，生活本身具有的奇异的惯性，把我们弄得<u>晕头转向</u>(yūntóuzhuānxiàng)；到最后，我们会感觉对生命一点选择也没有，丝毫无法<u>作主</u>(zuòzhǔ)。偶尔失眠，在夜深人静时，

剥夺：把别人的东西或权利拿走

流逝：时间过去

渴望：非常想得到

信笺：信纸

忽略：没有注意到

迟钝：感觉不灵敏

熨：用金属器具加热，按压衣服，使它变平

晕头转向：头脑昏乱，搞不清方向

作主：对某件事作出决定并负全责

101

疼痛会在内心深处升起,会记起许多已经遗忘的东西,会怀疑:"我是怎么过日子的?"但很快又会安慰自己说:"每个人都是这样过的。"早上醒来,又会匆匆忙忙<u>拎</u>(līn)起公文包出门,忘记自己曾在梦中哭泣,每天做的惟一的事情便是将自己<u>绑</u>(bǎng)在生活的车轮上,<u>碾</u>(niǎn)过一个又一个相同的日子。

拎:提

绑:用绳子捆

碾:车压过去

"即使所有的青藤树都倒了,你也要站着,即使全世界都沉睡了,你也要醒着!"这回轮到我自己来读了,读别人的话时很轻松,读自己的话时则很沉重,很痛苦,也很必要。

讨论题

1. "即使所有的青藤树都倒了……"是谁写给谁的?这句话产生了什么样的作用?
2. 作者为什么很感激他的同学?
3. "即使所有的青藤树都倒了……"有什么深刻的含义?
4. 你觉得人生的意义是什么?你对幸福的概念是什么?

第7课　　戏说中国人

预 习

这一课谈的是有关中国人特点的话题，请你预习课文，并回答下面的问题，看看课文的生词表里，有没有你需要的词语：

1 课文中一共说了中国人的几个特点？

2 请你先根据拼音写出左栏中缺少的汉字，然后在右栏中各举两个例子。

中国人的特点	例　子
中国人的第一个shìhào是工作。	(a) (b)
传统的中国人非常qiānxū。	(a) (b)
中国人并不缺乏zìháo感。	(a) (b)
不管中国人到了哪里，他的中国tèzhì绝不改变。	(a) (b)
中国人非常懂得yǐ róu kè gāng的道理。	(a) (b)

3 你觉得这篇文章是什么风格的？（可以多选）

　　A 严肃的　　B 活泼的　　C 沉重的　　D 幽默的　　E 轻松的

戏说中国人

你认识的中国是什么样的呢?

中国人的第一个嗜好是工作。在我看来,世界上再**没有比**中国人**更**疯狂地喜欢工作**的**民族**了**。中国字里"男"人的男,是田和力,也就是"在田里的那种劳动力";中国字的"妇(婦)"是女和帚,意思是指"拿着扫帚的那种女人";中国的"家"字是"屋顶下养着一窝猪"的意思,当然啦,并不是说屋子里没有人,只是说要有人有猪才算是家。总之,你要叫一个中国人不做事,那**简直**是要他的命。

中国人最喜欢的东西就是土地,中国人拼命工作之后,如果赚了钱,他就立刻再买一块地。中国人**无论**在全世界哪里,他**都**习惯性地要往土里种点什么,他会傻里傻气地跑到沙漠里去种白菜,而奇怪的是当土地搞清他们是中国人之后,果然很听话,种什么就长什么,一点也不反抗。

中国人如果发了财,他绝对想不出怎么花钱,他会把钱全留给儿子,而这儿子,同样也不知道钱该怎么花,他又把钱留给了孙子。

传统的中国人是不容许你有私生活的,他理直气壮地问一个小姐的年龄,他甚至会盘问你为

什么要跟长得挺不错的玛丽分手。不过，传统的中国社会至少有个好处，不需要找心理医生——反正谁都可以听谁的隐私。对中国人来说，一个人如果有"不可告人之事"，他一定不是好人。

传统的中国人非常谦虚，他们**把**自己的文章**叫做**"拙作"，他们建议你把他的画拿去"补壁"，就是补墙壁上的洞，他们把自己的小孩儿叫做"犬子"，把自己的房子叫做"寒舍"。如果你听一个中国人说："我一无所长，希望多向您学习。"千万不要以为他是一个没有自信的家伙，他其实是要你知道他的谈吐多么有教养。如果一个中国人请你到家里去吃饭，向你抱歉说："不好意思，没准备什么像样儿的菜。"那么，你放心，一定有一大桌丰盛的菜肴等着你。在和中国人交往时，正确的做法是"谦虚"由他负责，赞美的"反驳"由你负责，如果他说："我的英文简直糟透了。"你就应该说："哪里，您的英文地道极了，**不比英国人差啊！**"

当然，中国人并不缺乏自豪感。一般来说，中国人很少大惊小怪，据说中国人面部肌肉的活动量只有美国人的十分之一，欧洲人的五分之一。中国人看到炸药，很不屑，说："跟我们过年放鞭炮用的不也差不多吗？"中国人看到电脑，说："我们早就有算盘了。"美国人辛辛苦苦跨了一步，上了月亮，中国人毫不佩服，说："嫦娥早就去了。"国际上一些政客为发动战争费尽心机想出的理由，到了中国人那里全成了小儿科："这和中国战国时代的情形差不多啊。"这有什么办法呢，中国历史5000年，人间所有能发生的，在中国都已经发生过了。

不管中国人到了哪里，他的中国特质都绝不改变。在香港，你会看到家家厨房在雪亮的炉灶上放着个黄褐色的沙锅——他们是在努力保留一部分的中国。在新加坡，在最热闹的地方开着中药铺，那些中国人，在他最病最弱的时候，他情感上需要的是中国的草药。在马来西亚，成千的华侨社团吵着要办一所中文大学。而在新加坡，已经有了一所教中文的南洋大学——当初捐钱建它的竟是个不识字的华侨。

曾有位中国古代的哲学家，在临终时把他的学生叫来了，说："你看我的牙齿呢？"

"没有了，都掉光了。"

"我的舌头呢？"

"还在。"

那学生忽然明白了柔韧的东西永远比坚硬的东西更强，更适合于生存。中国人非常懂得"以柔克刚"的道理，这一点，只要你打过中国的太极拳，就会深有体会。

（作者桑科，根据教材需要有改动。）

生　词

| 1 | 嗜好 shìhào | 名词 | 特别的爱好，多用于贬义
addiction | ★ 我没有什么不良的嗜好，只是每天都要喝上一杯。 |

1 嗜好 shìhào 名词
特别的爱好，多用于贬义
addiction

★ 我没有什么不良的嗜好，只是每天都要喝上一杯。

2 疯狂 fēngkuáng 形容词
发疯的样子
crazy

★ 疯狂地工作

3 扫帚 sàozhou 名词
扫地的工具，多用竹枝扎成
broom

★ 一把扫帚

★ 你就是要了我的命，我也不能告诉你。

★ 如果这个时候，我们撤回所有的资金，那就等于要了他们公司的命。

4 要命 yào mìng
使丢掉生命或陷入致命的困境；表示到达极点
kill; awfully; confoundedly; extremely

★ 他对他太太怕得要命。

★ 我现在累／热／疼／饿／困得要命。

★ 真要命！我们已经等了她半个多小时了，还不见她的人影。

5 拼命 pīn mìng
不怕付出性命去干某事；用尽所有力气做
risk one's life; exerting the utmost energy

★ 如果你再欺负我，我就和你拼命了。

★ 他为了考上一个好学校，每天都在拼命地学习。

6 赚钱 zhuàn qián
挣钱
make money

★ 听说他最近赚了一大笔钱。

7 傻里傻气 shǎlishǎqì
傻乎乎的样子
muddle-headed

★ 他这个人傻里傻气的。

8 果然 guǒrán 副词
表示事实与说的或想的一样
as expected; as things turn out

★ 昨天天气预报说今天有雨，你看，果然下起来了。

★ 我觉得她是南方人，果然是。

9 听话 tīnghuà 〔形容词、动词〕
听从上级或长辈的话;愿意服从某人
obedient; tractable; obey

★ 这个孩子真听话,从来不闹。

★ 宝贝,妈妈不在的时候,你要好好听外婆的话。

10 反抗 fǎnkàng 〔动词〕
用行动反对
revolt; resist

★ 反抗敌人　反抗压迫

11 发财 fā cái
获得大量钱或财物
get rich; make a fortune

★ 发大财　发了一笔财

12 容许 róngxǔ 〔动词〕
同意做某事
tolerate; allow

★ 你怎么不容许别人有不同的意见?

13 理直气壮 lǐzhíqìzhuàng 〔成语〕
觉得自己做得对,说话做事很有道理的样子
justly and forcefully

★ 听了他理直气壮的话,法庭上的所有人都相信他是无辜的。

14 盘问 pánwèn 〔动词〕
不停地详细地问
interrogate

★ 她不停地盘问我到底为什么要和玛丽分手。

15 隐私 yǐnsī 〔名词〕
不愿告人或不愿公开的个人的私事
facts one wishes to hide; privacy

★ 保持个人的隐私　干涉别人的隐私

16 谦虚 qiānxū 〔形容词〕
虚心,不夸大自己的能力或价值
modest

★ 他这个人一向很谦虚。

★ 在中国人看来,谦虚是一种美德。

17 拙作 zhuōzuò 〔名词〕
[谦辞]对别人称自己的文字或书画作品
my clumsy writing

18 犬子 quǎnzǐ 〔名词〕
[谦辞]对别人称自己的儿子
young dog, a self-depreciatory expression of one's own son

19 寒舍 hánshè 〔名词〕
[谦辞]对人称自己的家
my humble home

★ 欢迎您光临寒舍。

20 一无所长　（成语）
yìwúsuǒcháng
一点专长也没有
have no special skill

★ 他这个人一无所长。

21 千万　（副词）
qiānwàn
无论如何，不管怎样一定要……
be sure

★ 你千万别忘了把这本书交给他。
★ 你千万要注意孩子的品德教育。

22 家伙　（名词）
jiāhuo
指人，带有轻视或开玩笑的意思
fellow

★ 那个家伙一无所长，没什么本事。
★ 你这个家伙，吓了我一跳。

23 谈吐　（名词）
tántǔ
指人的谈话方式
style of conversation

★ 他的谈吐很有教养/大方/自然。

24 教养　（名词）
jiāoyǎng
指一般文化、道德修养
education; breeding; culture; up-bringing

★ 他这个人很有教养。

25 像样儿　（形容词）
xiàng yàngr
不错，还可以
decent; presentable; be up to the mark

★ 你的太极拳打得挺像样儿的。
★ 失业以后，他的生活过得挺不像样儿的。

26 丰盛　（形容词）
fēngshèng
食物丰富
sumptuous

★ 丰盛的晚餐

27 菜肴　（名词）
cáiyáo
做好的蔬菜、鸡蛋、肉等副食品的统称
cooked food

★ 今天的菜肴非常丰盛。

28 赞美　（动词）
zànměi
夸……的优点
praise; commend; eulogize

★ 赞美家乡

29 反驳　（动词）
fǎnbó
提出理由反对别人的观点
retort; rebute; confute; disprove

★ 反驳别人的观点
★ 他的看法是错误的，我要写一篇文章反驳他。

30 地道　（形容词）
dìdao
纯正的；真正的
authentic

★ 他讲一口地道的中文。
★ 这家饭馆的四川菜很地道。

31 自豪　（形容词）
zìháo
自己感到光荣，值得骄傲
pride; be proud of

★ 他为自己打破世界记录而自豪。
★ 说起长城，很多中国人的心中都充满自豪感。

32 大惊小怪 dàjīngxiǎoguài 成语	对一些不该惊讶的事情表现得过分惊讶 make a fuss	★ 他这个人对什么都大惊小怪的。 ★ 你不要这么大惊小怪的，好不好？
33 肌肉 jīròu 名词	人或动物身体上的瘦肉 muscle	★ 发达的肌肉　强壮的肌肉
34 炸药 zhàyào 名词	用来引起爆炸的东西 dynamite	
35 不屑 búxiè 形容词、动词	认为不值得；看不起 disdain; think sth.not worth doing	★ 他那种不屑的表情／口气／目光让我很生气。 ★ 对这种常识性的错误，我不屑反驳。
36 鞭炮 biānpào 名词	firecracker	★ 放鞭炮
37 电脑 diànnǎo 名词	computer	★ 一台电脑
38 算盘 suànpán 名词	abacus	★ 打算盘　打如意算盘　打小算盘
39 辛苦 xīnkǔ 形容词	劳累困难 hard; toilsome	★ 工作很辛苦　生活很辛苦 ★ 大家辛苦了，现在休息一下吧。
40 佩服 pèifú 动词	尊敬别人的长处 admire; have admiration for	★ 我很佩服他的工作能力。 ★ 他的意志那么坚强，真令人佩服。
41 政客 zhèngkè 名词	[贬义词]利用政治上的机会得到个人好处的人 politician	★ 他不是什么政治家，只是一个政客。
42 小儿科 xiǎo'érkē 形容词	简单的，幼稚的 childish	★ 你这种错误太小儿科了。
43 雪亮 xuěliàng	具有明亮的外表、外观或外貌的东西，多用于金属 shiny (mostly referring to metal objects)	★ 雪亮的炉灶　雪亮的刀子

44　炉灶　*名词*
lúzào

厨房里做饭用的炉火和台面

kitchen stove

45　沙锅　*名词*
shāguō

一种用陶土加沙烧制成的锅,常用来熬粥或煮药

clay pot

46　中药铺
zhōngyàopù

卖传统中药的商店

shop of traditional Chinese medicines

★ 他在市中心开了一家中药铺。

47　华侨　*名词*
huáqiáo

长期住国外的中国人

overseas Chinese

★ 他父母是华侨,他在美国出生,是华裔。

48　捐　*动词*
juān

把自己的钱物提供别人使用

contribute

★ 捐款　捐钱

49　哲学家　*名词*
zhéxuéjiā

philosopher

50　柔韧　*形容词*
róurèn

柔软但不容易断

be soft but tensile

★ 柔韧的材料

51　以柔克刚　*成语*
yǐróukègāng

用柔韧的方法战胜强壮的对手

to use softness to overcome hardness

★ 对待坏脾气的人,最好用以柔克刚的方法。

52　太极拳　*名词*
tàijíquán

中国传统武术项目之一,动作柔缓,可用于拳击和健身

taijiquan (slow-motion Chinese boxing; shadow boxing)

★ 他给我们打了一套太极拳。

专 名

1.嫦娥	Cháng'é	中国古代神话中飞到月亮上的一个姑娘
2.新加坡 (Singapore)	Xīnjiāpō	东南亚的一个国家
3.马来西亚 (Malaysia)	Mǎláixīyà	东南亚的一个国家

词语练习

一、请你根据拼音写出汉字，然后把它们填在合适的句子里：

| shìhào | zhuànqián | róngxǔ |
| yǐnsī | qiānxū | tīnghuà |

1. 他惟一的(　　　　)就是疯狂地(　　　　)。

2. 这个孩子很不(　　　　)，从小就让父母操心。

3. 一般说来，中国人受到赞美时，都会(　　　　)地说几句客气话。

4. 我们绝对不(　　　　)考试作弊的行为在我们班出现。

5. 听说中国人以前没有(　　　　)的概念，真的吗?

| tǎntǔ | jiāoyǎng | cāiyào |
| fǎnbó | dìdao | |

6. 她生在北京，讲一口(　　　　)的北京话。

7. 我并不想(　　　　)你的观点，我只是说一下自己的看法。

8. 听他的(　　　　)，就知道他受过很好的教育。

9. 你这么说话显得很没有(　　　　)。

10. 她为我们准备了一桌子丰盛的(　　　　)。

| zìháo | biānpào | xīnkǔ |
| pèifú | juān | |

11. 妈妈的工作很(　　　　)，你要多理解她。

12. 过春节不让放(　　　　)，真的一点气氛都没有。

13. 很多中国人为长城而感到(　　　　)。

14. 我很(　　　　)你的勇气。

15. 这所大学是由一位老华侨(　　　　)钱修建的。

róurèn　　tàijíquán　　zhēngkē

fācǎi　　zhéxuéjiā

16. 在中国道家看来,(　　　　)的东西胜过坚硬的东西。

17. 他不是什么政治家,不过是个(　　　　)罢了。

18. 他这个人啊,做梦都想(　　　　)。

19. 在中国的时候,我早晨常常去打(　　　　)。

20. 很多现代人把老子看成是一位(　　　　),其实这并不是他的职业。

二、请你在下面的形容词后填上合适的名词:

自豪的(　　　) 　　　雪亮的(　　　) 　　　丰盛的(　　　)

地道的(　　　) 　　　柔韧的(　　　) 　　　谦虚的(　　　)

三、请你在下面的句子中填上合适的单音节动词:

1. 我不会(　　　　)太极拳。

2. 他家(　　　　)着一条狗。

3. 他们计划在山区(　　　　)一所希望小学。

4. 这件事还没有(　　　　)清楚。

5. 你想在沙漠里(　　　　)白菜?

6. 他们在市中心(　　　　)了一家中药铺。

7. 他的女朋友(　　　　)得非常漂亮。

四、请你根据下面的句子写出一个成语,然后用这个词语造一个句子:

1. 不看实际情况做傻事的样子。　　　　　　　(　　　　　　)

2. 很有道理的样子。　　　　　　　　　　　　(　　　　　　)

3. 一点儿长处都没有　　　　　　　　　　　　(　　　　　　)

4. 为一点儿小事就很惊讶。　　　　　　　　　(　　　　　　)

5. 用柔韧的方法战胜强硬的对手。　　　　　　(　　　　　　)

五、请你说出下面句子中划线词语的意思，并用这个词语造句：

1. 对我们的帮助，他好像很<u>不屑</u>。

    A.不满意   B.不愿意   C.看不起   D.不好意思

2. 她<u>果然</u>不同意我们的意见。

    A.居然   B.果真   C.竟然   D.当然

3. 这次会议很重要，你<u>千万</u>别缺席。

    A.一定   B.万一   C.十分   D.万分

4. 他的中国画画得<u>挺像样儿的</u>。

    A.非常好   B.非常像   C.还不错   D.非常糟

5. 你这种做法太<u>小儿科</u>了。

    A.幼稚   B.可爱   C.活泼   D.单纯

六、请你查字典，看看下面词语和其中的黑体字是什么意思，然后再写出两个由这个黑体字组成的词语：

丰**盛**	丰**富**	_____	_____
隐**私**	隐**瞒**	_____	_____
隐**私**	自**私**	_____	_____
小儿**科**	外**科**	_____	_____
中药**铺**	自行车**铺**	_____	_____

语言点

一、没有比……更／再……的(N)了

◎ 在我看来，世界上再**没有比**中国人**更**疯狂地喜欢工作**的**民族**了**。
　▲说明：这一结构表示在某一范围内，某一人或事物在某一方面最突出。例如：

1.这个班没有比李华更努力的学生了。
2.在北京的公园里，没有比颐和园更漂亮的了。

二、简直

◎ 你要叫一个中国人不做事，那**简直**是要他的命。
　▲说明："简直"是副词，强调完全是这样或差不多是这样，含有夸张语气，它后面的成分也多有程度很高的意味。例如：

1.这幅画简直像真的一样。
2.最近非常忙，简直连一分钟时间都挤不出来。
3.这个城市的交通状况糟透了，路上简直成了停车场。
4.我简直不敢相信这是真的。

三、无论／不管……都／也……

◎ 中国人**无论**在全世界哪里，他**都**习惯性地要往土里种点什么，……
　▲说明：这个结构强调在任何情况下，都不改变结论或结果。"无论"多用于书面，用"不管"多用于口语。"无论"和"不管"后面常常跟"V不V"、"是A还是B"或特殊疑问句，如果后面的句子有主语，"也"和"都"不能放在主语前面。例如：

1.无论走到哪里，中国人的特质都不会改变。
2.无论多么忙，也不能忽视对家庭的责任。
3.不管你去不去，都要给我来个电话。
4.不管是在北京还是在外地，我都习惯早起。

115

四、A 把 B 动词 + 做 C

◎ 传统的中国人非常谦虚，他们**把**自己的文章**叫做**"拙作"。

▲说明：汉语中常用这一结构表示"A 认为 B 是 C"的含义，其中，动词常用"叫、看、当、比"等。口语中"做"也可以用"成"来代替。例如：

1. 中国人把长城看做中国的象征。
2. 他把朋友当做自己的镜子。
3. 中国古代的人们把自己的小孩叫做"犬子"，把自己的房子叫做"寒舍"。

五、A 不比 B + adj.

◎ 您的英文地道极了，**不比**英国人**差**啊！

▲说明：这个结构表示"A 和 B 都不 adj."与"A 和 B 差不多"两层意思。例如：

1. 弟弟的个子不比哥哥矮。（弟弟和哥哥都不矮，他们俩的个子差不多。）
2. 他跑得不比你跑得慢。（他们俩跑得都不慢，两人的速度差不多。）

语言点练习

一、用所给词语完成对话或句子：

1. A：为什么世界上很多大公司都来中国作生意？

   B：＿＿＿＿＿＿＿＿＿＿＿＿。（没有比……更／再……的(N)了）

2. A：你为什么每天早上去打太极拳？

   B：＿＿＿＿＿＿＿＿＿＿　。（没有比……更／再……的(N)了）

3. 我最近太忙了，＿＿＿＿＿＿＿＿＿＿＿＿＿　。（简直）

4. 他的汉语非常好，＿＿＿＿＿＿＿＿＿＿＿＿＿　。（简直）

5. 机场不停地推迟航班起飞的时间，＿＿＿＿＿＿＿。（简直）

6. A：如果没有奖学金，你还要出国留学吗？

   B：＿＿＿＿＿＿＿＿＿＿＿＿＿。（无论……都……）

7. A：听说学中国画并不容易，你还打算学下去吗？

   B：＿＿＿＿＿＿＿＿＿＿＿＿＿。（不管……都……）

8. A：为什么现在很多女孩子都在减肥？

   B：＿＿＿＿＿＿＿＿＿＿＿＿＿。（A 把 B 动词＋做 C）

9. A：你怎么知道中国古代的人特别谦虚？

   B：＿＿＿＿＿＿＿＿＿＿＿＿＿。（A 把 B 动词＋做 C）

10. A：和美国妇女的社会地位相比，你觉得中国妇女的社会
    地位怎么样？

    B：＿＿＿＿＿＿＿＿＿＿＿＿＿。（A 不比 B ＋ adj.）

11. A：香港的消费水平比东京低？

    B：＿＿＿＿＿＿＿＿＿＿＿＿＿。（A 不比 B ＋ adj.）

二、请你用本课重要的语言点造句：

★ 没有比……更／再……的(N)了

★ 简直

★ 无论／不管……都／也……

★ A 把 B 动词＋做 C

★ A 不比 B ＋ adj.

综合练习

一、请你在下面这段话的空白处填上合适的副词，然后对照课文，看填得是否正确：

中国人最喜欢的东西（　　　）是土地，中国人拼命工作之后，如果赚了钱，他（　　　）立刻再买一块地，中国人无论在全世界哪里，他（　　　）习惯性地要往土里种点什么，他会傻里傻气地跑到沙漠里去种白菜，而奇怪的是当土地搞清他们是中国人之后，果然很听话，种什么（　　　）长什么，一点（　　　）不反抗。

二、请你先读下面这段课文，然后根据后面的提示，完成练习。

中国人的第一个嗜好是工作。(a) 中国字里"男"人的男，是田和力，也就是"在田里的那种劳动力"；(b)中国字的"妇"是女和帚，意思是指"拿着扫帚的那种女人"；(c) 中国的"家"字是"屋顶下养着一窝猪"的意思，当然啦，并不是说屋子里没有人，只是说要有人有猪才算是家。**总之**，你要叫一个中国人不做事，那简直是要他的命。

*在这段课文中，划线的第一句话是主题，a、b、c 三句话是说明主题的例子，最后的"总之"是总结。请你仿照这段课文的结构，任选下面的一句话作主题，写一段 300 字左右的短文。

⦿ 传统的中国人非常谦虚
⦿ 中国人并不缺乏自豪感

阅读 副课文

差不多先生传

在中国，没有比差不多先生更有名的人了，无论在什么地方，你都可以听到他的大名。

差不多先生长得和你我都差不多。他有一双眼睛，但看得不很清楚；有两只耳朵，但听得不很明白；有鼻子和嘴，但他对于味道都不很讲

究(jiǎngjiu)；他的脑子也不小，但却很糊涂(hútu)。

讲究:	对某个方面很重视
糊涂:	不清楚
何必:	为什么一定要

他常常说："不管什么事，只要差不多就好了。何必(hébì)太认真呢？"

他小的时候，有一次，妈妈叫他去买红糖，他却买回了白糖，妈妈骂他，他却说："红糖白糖不是差不多吗？"

上学以后，有一次上课老师问他，"河北省的西边是哪一个省？"他说是陕西。老师说："错了，是山西，不是陕西。"他说："陕西和山西听起来不是差不多吗？"

后来他在一个钱铺里打工，他又会写，又会算，可是总出错，不是把十字写成千字，就是把千字写成十

字。老板生气骂他，他却笑嘻嘻(xiāoxīxī)地说："千字比十字只多一画，不是差不多吗？"

笑嘻嘻：笑的样子

有一天，他为了一件要紧的事，要坐火车到上海去。他不紧不慢地走到火车站，迟了两分钟，火车已经开走了，望着远去的火车，他叹(tàn)了一口气说："只好明天再走了，今天走或者明天走，都差不多。可这火车也真是的，八点三十分开和八点三十二分开，不是差不多吗？"他一面说，一面慢慢地走回家，心里很纳闷为什么火车不肯等他两分钟。

叹气：长长地出一口气

有一天，他突然得了急病，连忙叫家人去请东街的汪(Wāng)大夫。家人急急忙忙地跑去，一时找不着东街的汪大夫，却把西街的牛医王大夫请来了。差不多先生病在床上，知道找错了人，但心想："王大夫和汪大夫也差不多，让他试试看吧。"于是这位牛医王大夫走近床前，用给牛看病的法子给差不多先生治病。不到一个小时，差不多先生就不行了。

家人：一家的人

差不多先生临终的时候，把孩子们叫到跟前，断断续续地说："活人和死人其实也差……差……差……不多……不管什么事，只要……差……差……不多……就……好了……千万不要太认真。"他说完这句格言(géyán)，才放心地走了。

格言：有深刻含义的语言

他死后，大家都很称赞差不多先生不管什么事情，样样都想得开，都不计较(jìjiào)，真是一位有德行的人。于是大家给他起了个死后的法号(fǎhào)，把他叫作圆通大师。

计较：对事情认真理论

法号：佛教对有修行人的称号

他的名声越传越远，越来越大。大家都把他当作学习的榜样。于是人人都成了一个差不多先生了。

（作者胡适，根据教材需要有改动。）

讨论题

1. 差不多先生是个什么样的人？
2. 请讲一个发生在差不多先生身上的故事。
3. 差不多先生是怎么死的？
4. 差不多先生的格言是什么？
5. 差不多先生去世后有什么影响？
6. 你碰到过差不多先生吗？你觉得差不多先生这个人怎么样？
7. 除了课文中提到的，你觉得中国人还有哪些特点？

第8课 "打"来"打"去

预 习

这一课谈的是有关词汇的话题,请你预习课文,并回答下面的问题,看看课文的生词表里,有没有你需要的词语。

1 课文中讨论了哪个汉字的使用? 一般说来,使用这个汉字的词语大多有什么特点?

2 请你根据下表左栏中提示的含义,写出课文中出现的包含"打"的词语:

含 义	包含"打"的词语
用手或器具撞击物体	
和手有关系的动作	
用手玩的娱乐活动	
用手做的球类运动	
需要用手势的动作	
先准备好一个容器,然后到某处把液体类的东西盛回来	
人与人发生某种交涉行为	
某些生理现象	

课文

"打" 来 "打" 去

　　每一种语言里都有一些词语，看似平常，实际上含义却非常复杂。学外语的时候，最难搞通的就是这些词语。

　　比方说汉语中的"打"字就不简单。"打"这个汉字只有五画，属于不必简化的汉字，谁都认识，然而它却变化多端，难以掌握。

　　"打"字是提手旁，它最初的含义是"用手或器具撞击物体"，语言学家把这个含义叫作"本义"。跟这个本义有关的，还有"打人"、"打架"、"打了他一顿"等。

　　日常生活中有不少和手有关的动作，可以用"打"字来表示，但已经不是它的本义了。比方说"打毛衣"，并**不是**说跟毛衣过不去，非把它好好揍一顿，**而是**要把毛线织成毛衣。"打行李"的"打"在这个基础上又进了一步，是"用绳子把行李捆起来"的意思，现在我们在饭馆吃完饭后把食物包起来带走叫"打包"，大概就跟这个含义有一定的关系。另外，你还可以"打开书"、"打开门"、"打字"、"打电脑"、"打电话"、"打太极拳"…… 这些词语里"打"的含义各不相同，但都**和手有**一定的**关系**。

　　一些娱乐活动和球类运动，也可以用"打"，比方说，"打桥牌"、"打扑克"、"打麻将"、"打篮球"、

"打排球"、"打网球"、"打乒乓球"、"打高尔夫球"等等。这里的"打"，有"玩"的意思，但**除非**是用手玩，**否则**就不能用"打"。所以，足球就不能"打"，而只能"踢"。

有些用"打"的词，看起来似乎和手不沾边儿，比方说，"打招呼"，是"见面互相问候"的意思，"打车"是"乘出租汽车"的意思，这些词语和手有什么关系？但仔细想想，却又不是毫无关联。"打招呼"和"打车"时，人们不是常常要挥一下儿手打个手势吗？这恐怕就是它们使用"打"的原因吧。

那是不是**凡是**用手的动作**都**可以用"打"呢？也不尽然。比方说，同样是用手敲，你可以"打电脑"，却不能"打钢琴"，钢琴只能"弹"；同样是用手拉，你可以"打开抽屉"，却不能"打小提琴"，而只能"拉小提琴"；同样是用手使用一种武器，你可以"打枪"，却只能"射箭"。这到底是为什么？连很多语言学家也感到莫名其妙。

但是"打"的复杂性并不仅限于此。中国人谈到谁家的孩子已经长大时，常常说"已经能打酱油了"，这里的"打"，当然不是打破酱油瓶，而是 "到商店去买"的意思。那"买"和"打"是不是同义词呢？当然不是。你不能说 "到书店去打书"或"到商场去打衣服"。一般说来，只有买液体的东西，才能用"打"，比方说，"打酱油"、"打醋"、"打酒"、"打油"什么的。那是不是凡是买液体的东西都能用"打"呢？也不尽然。比方说，你很少听到有人说"我到超市打了一瓶可口可乐"。原来，"打"东西的时候，你必须先准备好一个容器，然后到某处把它盛回来。一般来说，"打酱油"、"打醋"都是事先准备好一个瓶子，可是谁见过拿着瓶子到超市去买可口可乐的呢？所以，你拿着饭盒到食堂把饭买回来，叫"打饭"，你拿着热水瓶去水房把热水拎回来，叫"打水"。可见，只要符合了上面说的条件，就可以用"打"，不付钱都没有关系。

"打酱油"的"打"虽然已经和手的关系不太直接，但是毕竟还要用手去"取"和"拿"。"打交道"、"打官司"又不同了。"打交道"是"人和人有来往"的意思，"打官司"是"人和人发生法律纠纷"，这两个"打"都表示"人与人发生某种交涉行为"，看不出和手有什么关系。还有"打坏主意"是"想一个坏主意"，也**和手无关**。至于"打嗝儿"、"打哈欠"、"打喷嚏"则完全是一些生理现象，和手毫无关系。这些短语中，为什么要用"打"？恐怕连中国人也说不清楚，只能说"是一种语言习惯"。

《现代汉语词典》中列出的包含"打"的短语多达 200 多条，实际生活中使用的数目比这还要多。**可见**，"打" 的构词能力极强，的确不简单。

生 词

1* 比方说
bǐfangshuō   比如
              such as...

2 不简单 （形容词）
bùjiǎndān   不平常，了不起
             not common, not simple

★ 这个小姑娘 16 岁就取得了
世界冠军，真不简单。

3 简化 （动词）
jiǎnhuà   使复杂的变为简单的
           simplify

★ 简化汉字　简化手续

4 变化多端 （成语）
biànhuàduōduān   在多方面变化，使人很难了解
                  be most changeful

★ 他们队的战术变化多端，使
我们难以应付。

5 难以 （副词）
nányǐ   [书面语]很难……
         difficult to; cannot do well

★ 难以拒绝　难以满足
★ 难以掌握　难以了解

6 撞击 （动词）
zhuàngjī   [书面语]运动物体与别的物体
            猛然碰上
            ram; dash against; strike

★ 据说这个大坑是陨石撞击地
球形成的。

7 打架
dǎ jià   人互相打起来
          fight, come to blows

★ 上个月，他和小李打了一架。
★ 那边有几个人打起架来了。

8 揍 （动词）
zòu   打人
       beat; hit; strike

★ 因为他老欺负我，所以我揍
了他一顿。
★ 这次他挨了我的揍，以后再
也不敢欺负我了。

9 捆 （动词）
kǔn   用绳子等把东西弄紧
       truss up; tie up; bind

★ 请你用绳子把这些书捆起来。

10 饭馆 （名词）
fànguǎnr   出售饭菜的店铺
            restaurant

★ 一家饭馆

11 打包
dǎ bāo
用纸等包装物品
to pack, to bale; to package...up

★ 请你给我把这个菜打包，我要带走。

12 桥牌 （名词）
qiáopái
bridge (a game)

★ 打桥牌

13 扑克 （名词）
pūkè
poker (a game)

★ 打扑克

14 麻将 （名词）
májiāng
mah-jong (a game)

★ 打麻将

15 高尔夫球 （名词）
gāo'ěrfū qiú
golf

16 *除非 （连词）
chúfēi
unless

★ 除非学好汉语，否则不能了解中国文化。

17 似乎 （副词）
sìhū
好像
it seemed as if

★ 他似乎已经戒烟了。

18 沾边儿
zhān biānr
有关系，常用否定
relevant; related

★ 这件事跟我不沾边儿。

19 打招呼
dǎ zhāohu
见面时喊或说"你好"或"喂"，相互致意,问候
say hello; greet

★ 走，我们过去跟他们打个招呼。

20 出租 （动词）
chūzū
收取一定的租金,供别人定时使用某物
rent; hire

★ 学校里有出租自行车的吗?我想租一辆。

21 毫无
háowú
一点都没有，后面跟双音节词语
none

★ 我对这件事毫无兴趣,因为这和我毫无关系。

22 手势 （名词）
shǒushì
手的示意动作,用以表达思想或用以传达命令或愿望
sign; gesture

★ 教练向裁判打了个暂停的手势。

23 * 凡是 〔连词〕
fánshì　　只要是
　　　　　　every; any; all

★ 凡是高级班的学生，都要选一门文化课。

24 钢琴 〔名词〕
gāngqín　　piano

★ 一架钢琴
★ 弹钢琴

25 抽屉 〔名词〕
chōuti　　drawer

★ 拉开抽屉

26 小提琴 〔名词〕
xiǎotíqín　　violin

★ 一把小提琴
★ 拉小提琴

27 箭 〔名词〕
jiàn　　arrow

★ 射箭

28 限于 〔动词〕
xiànyú　　受某些条件或情形的限制；局限在某一范围之内
　　　　　　be limited to

★ 这次考试的范围仅／不限于第2单元。

29 酱油 〔名词〕
jiàngyóu　　soy sauce

30 同义词 〔名词〕
tóngyìcí　　意思相同的词
　　　　　　synonym

★ "西红柿"和"番茄"是同义词。

31 液体 〔名词〕
yètǐ　　liquids

★ 水是一种液体。

32 醋 〔名词〕
cù　　vinegar

33 超市 〔名词〕
chāoshì　　supermarket

★ 那边儿新开了一家超市。

34 容器
名 词
rōngqì
用来包装或装物品的东西
container

35 盛
动 词
chéng
用一个东西装
fill
★ 你去给我盛一碗粥，好吗？

36 事先
名 词
shìxiān
事情开始之前
beforehand
★ 我事先并不知道这件事。

37 饭盒
名 词
fànhé
装饭用的盒子
canteen for food

38 拎
动 词
līn
提
lift or carry by hand
★ 我看见她刚才拎着包出去了。
★ 这个包太沉了，我拎不动/起来。

39 毕竟
副 词
bìjìng
终究；到底
after all; at all
★ 天气虽然冷，可是毕竟是三月了，风没有冬天那么刺骨了。

40 打交道
dǎ jiāodao
与……交往
make dealings with
★ 我从未跟他打过交道。

41 来往
动 词
láiwǎng
联系
keep in contact
★ 有来往　来往密切

42 打官司
dǎ guānsi
用法律来理论
go to law; carry on lawsuit; file suit; go to court
★ 听说中国人很不喜欢跟别人打官司，是真的吗？

43 纠纷
名 词
jiūfēn
争执不下的事情
dispute
★ 产生纠纷　调解纠纷
★ 经济纠纷　领土纠纷

44 交涉 *动词*
jiāoshè
与他人相互协商以便对某事得出解决办法
negotiate

★ 我们不打算在这个问题上继续与他交涉。

45 行为 *名词*
xíngwéi
举止行动
behavior; conduct

★ 问别人的收入是一种干涉他人隐私的行为。

46 打嗝儿
dǎ gér
hiccup; burp

47 打哈欠
dǎ hāqian
人困的时候张大嘴的动作
yawn

★ 因为夜里休息不好，上课的时候他老打哈欠。

48 打喷嚏
dǎ pēntì
sneeze

49 生理 *名词*
shēnglǐ
和身体有关的
physiology

★ 医生认为，他的病不是生理上的，而是心理上的。

50 *可见 *动词*
kějiàn
可以知道
be it is thus clear (or evident, obvious) that

★ 连语言学家都搞不清楚这个词的用法，可见它的含义非常复杂。

51 构词 *动词*
gòucí
语素和语素结合组成词
form a word

52 极 *副词*
jí
很
very

★ 专家认为昨天的事故极有可能与天气有关。

53 的确 *副词*
díquè
完全确实，毫无疑问
indeed; really

★ 这件事情我的确不知道。

★ 我的的确确不会跳舞。

130

词语练习

一、请你根据拼音写出汉字，然后把它们填在合适的句子里：

jiǎnhuà　　zōu　　dǎjià
kǔn　　fànguǎn

1. 学校西门外的小(　　　　)卖的是四川菜。

2. 你是不是又和人(　　　　)了? 不然你的眼睛怎么青了?

3. 这些汉字太复杂，需要进一步(　　　　)。

4. 我们把这些书(　　　　)在一起吧，这样拿起来方便一些。

5. 听说他因为考试不及格被爸爸(　　　　)了一顿。

mǎjiàng　　zhānbiānr　　shǒushì
gāngqín　　chōuti

6. 小时候，父母不让我们打(　　　　)。

7. 这件事情跟你不(　　　　)，你不要管。

8. 他把信放在(　　　　)里，可是忘了上锁。

9. 他向我打了个(　　　　)，让我不要说话。

10. 昨天晚上，著名(　　　　)家李明在保利剧院演奏了萧邦的作品。

xiānyú　　chāoshì　　yětǐ　　cù　　chéng

11. 听说山西人都喜欢吃(　　　　)，是吗?

12. 你去(　　　　)的时候买一瓶酱油吧。

13. 众所周知，(　　　　)在一定温度下会变成气体。

14. 选修这门课的学生(　　　　)高级班。

15. 你再帮我(　　　　)一碗米饭，好吗?

jiūfēn	jiāoshè	xíngwéi
díquè	dǎhāqian	

16. 由于合同问题而引发的(　　　　)非常多。

17. 他(　　　　)是一个品德高尚的人。

18. 因为夜里休息不好，上课的时候他老(　　　　)。

19. 这种干涉别人隐私的(　　　　)在现实生活中常常发生。

20. 这件事情由老王去(　　　　)，你就不要出面了。

二、请你在下面的名词前填上合适的单音节动词：

(　)高尔夫球　　(　)钢琴　　(　)枪

(　)足球　　(　)小提琴　　(　)箭

三、请根据下面的句子写出包含"打"的短语，然后用这个短语造一个句子：

1. 见面互相问候。　　　　　　(　　　　)

2. 乘出租汽车。　　　　　　　(　　　　)

3. 人和人有来往。　　　　　　(　　　　)

4. 人和人发生法律纠纷。　　　(　　　　)

5. 想一个坏主意。　　　　　　(　　　　)

四、请你说出下面句子中划线词语的意思，并用这个词语造句：

1. 这个孩子十三岁就上了北大，真不简单。

A. 很困难　　　　B. 很复杂

C. 了不起　　　　D. 不容易

2. 不知道为什么她总是跟我过不去。

A. 不能一起走　　　B. 碰不见我

C. 对我不友好　　　D. 不能在一起生活

3.这件事情跟你<u>不沾边儿</u>。

    A.没关系   B.不在乎

    C.不麻烦   D.没问题

4.我看见她<u>拎</u>着书包出去了。

    A.提   B.背

    C.挥   D.捆

5.我出发那天，他<u>非要</u>到机场去送我。

    A.没有   B.一定要

    C.不想   D.可能

五、请你查字典，看看下面词语和其中的黑体字是什么意思，然后再写出两个由这个黑体字组成的词语：

简化　简单　_____　_____

简**化**　美**化**　_____　_____

饭**馆**　体育**馆**　_____　_____

交**涉**　干**涉**　_____　_____

复杂**性**　积极**性**　_____　_____

语言点

一、比方说

◎ 每一种语言里都有一些词语，看似平常，实际上含义却非常复杂。学外语的时候，最难搞通的就是这些词语。**比方说**汉语中的"打"字就不简单。
▲说明："比方说"常用在口语中，它的后面常常是一些例子，用来进一步说明或补充前面所说的情况。例如：

1. 我去过中国很多大城市，比方说北京、上海、香港什么的。
2. 大自然中有很多动人的音乐。比方说树林中的鸟声，海边的潮声，田野里的蛙声和虫声。

二、不是……而是……

◎ 比方说"打毛衣"，并**不是**说跟毛衣过不去，非把它好好揍一顿，**而是**要把毛线织成毛衣。
▲说明：在这一结构中，"不是"的后面是被否定的情况，"而是"的后面是真实的情况。例如：

1. 河北省的西边不是陕西省，而是山西省。
2. 孩子最近常常哭闹，不是孩子不听话，而是他正在长牙，身体有点儿不舒服。

三、A 和／跟 B 有(……的)关系／无关

◎ 这些词语里"打"的含义各不相同，但都**和手**有一定的**关系**。……还有"打坏主意"是"想一个坏主意"，也**和手无关**。
▲说明：这组结构用来说明人或事物之间有某种关联或没有关联。根据关联的大小，在"关系"前面可以加相应的修饰语，如"一定的"、"很大的"、"密切的"、"直接的"等。"无关"也可以用作"毫无关系"或"毫无关联"。例如：

1. 在我看来，隐私观念的变化跟社会制度有一定的关系。
2. 那位专家在文章里说，这个地区新出现的疾病和空气污染有直接的关系。

3.这件事和我无关，你不要来问我。

4.外交部发言人称，这次军事演习和两国的外交战毫无关系。

四、除非……否则……

◎ 这里的"打"，有"玩"的意思，但**除非**是用手玩，**否则**就不能用"打"。

▲说明：这一结构表示"除非"后面是一件事情惟一的先决条件，只有符合这一条件，才能产生某种结果，不然的话就不能产生这种结果。例如：

1.除非你能正确理解幸福的含义，否则你永远都不可能幸福。

2.除非我亲眼看见，否则我不会相信有这种事情。

3.除非学好汉语，否则不能真正了解中国文化。

五、凡是……都……

◎ 那是不是**凡是**用手的动作**都**可以用"打"呢？也不尽然。

▲说明：这个结构表示，只要符合"凡是"后面的条件，就一定会有"都"之后的情况或结果，没有例外。有时，"都"之前会有"一律"配合使用。例如：

1.凡是中级班的学生，都可以选这门课。

2.凡是参加合唱比赛的同学，一律都要穿西服、打领带。

六、可见

◎ 《现代汉语词典》中列出的包含"打"的短语多达200多条，……**可见**，"打"的构词能力极强，的确不简单。

▲说明："可见"承接上文，常用在第二个分句开头，表示从前面的情况可以得出后面的结论。连接长句或段落时，也用作"由此可见"。例如：

1.连语言学家都搞不清楚这个词的用法，可见它的含义非常复杂。

2.调查发现有35%的毕业生愿意到外企工作，28%的毕业生愿意到民营企业工作。由此可见，国有企业已经不再是大学毕业生的惟一选择。

语言点练习

一、用所给词语完成对话或句子：

1. 我喜欢从事户外活动，_____。(比方说)

2. 中国人非常懂得以柔克刚的道理，_____。(比方说)

3. A：那是你的女朋友吗？

   B：_____。(不是……而是……)

4. A：你昨天开会缺席，是生病了吗？

   B：_____。(不是……而是……)

5. A：你认为这次传染病是什么引起的？

   B：_____。(A 和 B 有……的关系)

6. A：孩子为什么这么小就开始抽烟喝酒？

   B：_____。(A 和 B 有……的关系)

7. A：我们怎么才能实现自己的梦想？

   B：_____。(除非……否则……)

8. A：你认为怎样才能防止全球气温变暖？

   B：_____。(除非……否则……)

9. A：哪些人可以到这个图书馆借书？

   B：_____。(凡是……都……)

10. A：你认为哪些国家曾经受到过中国文化的影响？

    B：_____。(凡是……都……)

11. 我到现在也没有找到一个能理解自己的朋友，_____

   _____。(可见)

12. 中国人把自己的小孩叫作"犬子"，把自己的房子叫作"寒
舍"，_____。(可见)

二、请你用本课重要的语言点造句：

    ★ 比方说

    ★ 不是……而是……

    ★ A 和／跟 B 有(……的)关系／无关

    ★ 除非……否则……

    ★ 凡是……都……

    ★ 可见

综合练习

一、请你大声读下面这些课文中的句子，复习"把"字句的用法：

1. "打毛衣"，并不是说跟毛衣过不去，非**把**它好好**揍一顿**，而是要**把**毛线**织成**毛衣。

2. "打行李"是"用绳子**把**行李**捆起来**"的意思。

3. 现在我们在饭馆吃完饭后**把**食物**包起来**带走叫"打包"。

4. 原来，"打"东西的时候，你必须先准备好一个容器，然后到某处**把**它**盛回来**。

5. 你拿着饭盒到食堂**把**饭**买回来**，叫"打饭"，

6. 你拿着热水瓶去水房**把**热水**拎回来**，叫"打水"。

二、请你查词典，看除了课文中提到的词语外，还有哪些包含"打"的词语。用这些词语作例子，写一篇350字左右的短文。

- ◗ "打"字是提手旁，日常生活中有不少和手有关的动作，可以用"打"字来表示。比方说……

- ◗ 一些娱乐活动和球类运动，也可以用"打"。比方说……

- ◗ 有些用"打"的词，看起来似乎和手不沾边，但仔细想想，却又不是毫无关联。比方说……

- ◗ 并不是凡是用手的动作都可以用"打"。比方说……

- ◗ 有些包含"打"的短语和手毫无关系。比方说……

- ◗ 《现代汉语词典》中列出的包含"打"的短语多达200多条，可见，"打"的构词能力极强，的确不简单。

阅读 副课文

有朋自远方来

外来语，是指从别的语言里吸收过来的词汇。它和文化交流有直接的关系。世界上有些语言中外来语所占<u>比例</u>(bǐlì)极高，比方说，现代日语中外来语占词汇总量的 10%，如果加上早期进入的汉语，日语中外来语的比例竟高达 50%。然而，日语并非外来语最多的语种，据说，英语词汇中外来语的比重比日语还高。

比例: proportion

与其他语言相比，汉语的一个突出的特点是外来语非常少。但这并不意味着汉语很少受到世界其他文化的影响，而是汉语在吸收外来语的过程中，从不放弃对它们进行改造，从而使很多外来语已经失去了它们"外来"的特点。一般说来，汉语中由外来事物而产生的词汇分为下列几种类型：

第一种是"纯音译"。比方说葡萄、狮子、<u>塔</u>(tǎ)、<u>佛</u>(fó)、<u>鸦片</u>(yāpiàn)、沙发、咖啡、巧克力、摩托、幽默、休克等。

塔: Budhhist pagoda
佛: Buddha
鸦片: opium

第二种是"音兼义"。比方说<u>基因</u>(jīyīn)、<u>黑客</u>(hēikè)、可口可乐等。

基因: gene
黑客: hacker

第三种是"音加义"。比方说卡车、卡片、酒巴等。

第四种是"纯义译"的词汇。比方说超市、高速公路等。

第五种是用"比拟法"造词，把汉语中本来有的名称加上"番、胡、洋、西",来给本国文化中没有的事物命名。比方说番茄(fānqié)、胡萝卜、洋火、洋葱、西装、西红柿等。

番茄:西红柿

第六种是完全用汉语为外来事物造词。比方说水泥、火柴、电脑、电视、照相机、传真、激光等。

前三种是外来语,后三种属于在外来事物的刺激(cìjī)下自造的词汇。第一种是最纯粹(chúncuì)的外来语,但在汉语中比例很小,并且随着时间发展日益转变成第二至第六种词汇,最终保留下来的纯粹的外来语非常少。比如,"梵阿玲"变成了"小提琴","维他命"换成了"维生素"。甚至留下一个"洋"字也觉得别扭,于是"洋火"改造成"火柴","洋灰"换成"水泥"等等。没有被汉语"消化"掉,保留住声音本色的外来语少之又少。仔细分析,这些词语也大多因为和特定的汉字结合而发生了"汉化",比方说"葡萄"有"草字头","狮子"有"犬旁",今天大多数中国人都不会了解它们外来的身份。

刺激:强烈的影响
纯粹:地道的

除了上述几种在外来文化影响下产生的外来语和自造词外,汉语中还有另一种特殊的外来语,即来自日本的外来语。19世纪中后期,日本在吸收西方文化时,用汉字意译了大量西方词汇,这一时期也正是中国向西方学习的新文化运动时期(Xīn Wénhuà Yùndòng Shíqī),于是中国人干脆将日本人用汉字造出的新词吸收进来。这些汉字词语进入中国后,立刻取代了大量音译的外来语。这一时期中国从日语中接受的词汇竟多达800个以上,这些词语为中国文化的转型作出

新文化运动时期:指中国1919年"五四运动"前后的文化革命运动时期,这一时期,中国的知识分子开始对中国传统文化进行彻底的反思。

了很大的贡献。由于这些词语从特征上说和一般汉语词汇没有任何区别，因此今天很多中国人根本不知道它们是外来语。

可见一个外来语除非在语音上附加一定的汉字语义，尽量中国化，否则很难在汉语里生根。

因为汉文化善于不露痕迹地将外来文化消化掉，因此外来语在数量上远远低于汉文化中吸收的全部外来文化。

讨论题

1. 这篇文章中提到了哪几种外来语比例很高的语言？
2. 汉语中对于外来事物有几种表达方式？
3. 根据本文，现在汉语外来语中来自哪种语言的外来语最多？
4. 为什么人们会觉得汉语中外来语很少？
5. 一个外来语怎样才能在汉语中生根？
6. 请你谈谈自己母语中的外来语的情况。
7. 你觉得自己母语吸收外来语的方式和汉语有什么不同？

第9课 从"古代"到"现代"

预习

这一课谈的是有关中国古今变化的话题,请你预习课文,看看古代中国和现代中国有哪些不同?然后填写下表。看看课文的生词表里,有没有你需要的词语。

在下面的方面	古 代	现 代
人们读的书		
人们获得知识和消息的途径		
人们的社会生活和社交范围		
地理远近观念		
交通工具		
日常生活内容		
饮食		
居住		
家庭结构		

从"古代"到"现代"

如果可以回到一百年以前的中国，你就会看到，那个时候的中国和现在大不一样。举几个例子，人们读的书不是休闲杂志、电脑书籍、报纸漫画，而是儒家的经典，以及和这些经典有关的儿童课本、考试范文，当然也有一些小说、散文和诗歌，但是那主要是上层知识分子的读物；人们获得知识和消息的途径主要不是报纸、广播、电视这些现代传媒，而是一些刻印的书本、道听途说的见闻以及由父老乡亲传授的经验；人们的社会生活主要是在大家族和家乡中进行，社交范围一般限于熟人的圈子；人们关于地理远近的观念和今天大不相同，从北京到天津就是出远门了。**对一般人来说**，不断的婚丧嫁娶，加上一些家庭成员的生日和逢年过节祭祀祖先的活动，就是最普通的日常生活内容。除此之外，佛教、道教同人们的生活隔得并不远，到庙里去祈求佛菩萨保佑家人平安，也是很多人日常生活的重要内容之一。饮食方面呢，无论粗细，传统的米饭、面饼、小菜加上饮茶，都是主要的东西，吃饭是大事，占了生活中的不少时间。

可是，当今天的中国人回头看看这些旧时代

的生活时，会觉得有些陌生，有一定的距离了。这是因为今天的中国与那时相比发生了很大的变化，这个变化的开端是19世纪末。一般人们都同意，自从19世纪近代西方文明进入中国，使中国经历了一次两千年来从未有过的巨变，现代的中国似乎与传统的中国有了"断裂"。比方说，今天的汉语已经加入了太多的现代或西方的新词汇，报纸、信件、谈话中有好多"经济"、"自由"、"民主"这些似曾相识却意义不同的旧词，也有"超市"、"网络"、"黑客"这些过去从未有过的新词，口语中也越来越多地有了"一般说来"、"因为所以"、"对我来说"这样的语句，甚至还有"秀"(show)、"酷"(cool)、"WTO"、"猫"(modem)这样的进口词，如果一个一百年以前的人从坟墓中走出来，就会像张艺谋拍的《秦俑》中的那个人①，完全听不懂我们说的话。

　　另外，今天的中国已经拥有了太多的现代城市、现代交通、现代通信。过去人们生活的世界，是四合院儿、园林、农舍。人们从一个地方到另一个地方，要乘牛车马车，所以从广东把荔枝快运到长安，就成为奢侈的话题，而苏轼被贬到海南，也不像今天的旅游节目那么充满浪漫色彩。至于信件，更比不上电子邮件和传真。所以那个时候的中国人关于空间远近、时间快慢的观念，和今天大不相同，今天的人们才真正体会到古人所期望的"天涯若比邻"的感觉。

　　同样，今天中国的日常生活也已经变得越来越西化了。拿吃来说，吃饭的观念已经不同于过去，麦当劳成了很多年轻人的最爱。再拿住来说，今天人与人可能上下楼住得很近，但公寓式的住房却使人情越来越淡薄，至于大家族，那就更少见了，七姑八姨表兄表弟这些复杂的家庭关系，都已经越来越像田园诗一样遥远了，越来越多的大家庭已经被小家庭所代替，传统中国社会秩序建立的基础，即家族关系、家庭礼仪和伦理观念，正在发生很大的改变。

　　总之，**与过去相比**，今天的中国确实发生了巨大的变化。生活在现代中国的人，当然要了解现代中国的事情，但同时也应该了解传统的中国。因为，现代中国**毕竟**是从古代中国延续下来的，这就像一条河流，如果不了解它的源头，就很难确定它未来的流向。

　　　　　　　　（选自葛兆光的《中国文化十讲》，根据教材需要有改动。）

注　解

① 张艺谋拍的《秦俑》：

全名为《古今大战秦俑情》，由张艺谋导演并主演，讲述了一个浪漫的爱情故事。其中的男主人公本来是秦始皇时期的一个将军，因为吃了长生药，虽然被作为兵马俑埋在地下2000多年，但是在现代复活后，仍然爱着已经轮回数世的女主人公。

生 词

1 休闲 〔动词〕
xiūxián
工作之余的休息和娱乐
rest and recreation at leisure

★ 1995 年开始实行的双休日制度，彻底改变了中国人的休闲方式。

2 漫画 〔名词〕
mànhuà
用简单而夸张的手法作的画
caricature; cartoon

3 儒家 〔名词〕
Rújiā
孔子学说的学派
the Confucianists

★ 儒家思想对中国有巨大的影响。

4 经典 〔名词、形容词〕
jīngdiǎn
指具有典范性、权威性的著作
classics

★ 人应该多阅读经典著作。
★ 这部 30 年代的电影很经典。

5 散文 〔名词〕
sǎnwén
一种文学体裁，包括杂文、随笔、游记等
essay

6 知识分子 〔名词〕
zhīshifēnzǐ
具有较高文化水平、做脑力工作的人
intellectual

★ 他父亲在大学教书，是一个老知识分子。

7 途径 〔名词〕
tújìng
方法，路子
way; channel; path

★ 我们希望这件事情通过外交途径解决。

8 传媒 〔名词〕
chuánméi
报纸、广播、电视等新闻手段
medium

★ 他是搞传媒的。

9 道听途说 〔成语〕
dàotīngtúshuō
路上听来的消息。指没有根据的传闻
hearsay; a rumor; gossip

★ 你怎么能相信这种道听途说的小道消息呢？

145

10 见闻　名词
jiànwén
看到听到的情况
what one sees and hears

★ 他在文章中讲了他在欧洲的见闻。

11 父老乡亲
fùlǎoxiāngqīn
故乡的长辈邻里
elders (of a country or district)

12 传授　动词
chuánshòu
讲解、教授学问、技艺
pass on; teach

★ 他父亲把针灸的方法传授给了他。

13 家族　名词
jiāzú
具有血缘关系的人组成一个社会群体，通常有几代人
clan; family

14 社交　名词
shèjiāo
指社会上的交际往来
social intercourse; social contact

★ 他有很强的社交才能，常常从事各种社交活动。

15 熟人　名词
shúrén
熟悉的人
acquaintance

★ 我刚来这儿，一个熟人都没有。

16 圈子　名词
quānzi
集体或生活范围
circle; group

★ 你只在留学生圈子里生活，你的生活／活动／社交圈子太窄了。

17 出远门
chū yuǎnmén
离家外出远行
go on a long journey

★ 最近我要出趟远门。

18 婚丧嫁娶
hūnsāngjiàqǔ
结婚或送葬的仪式
wedding ceremony and funeral ceremony

★ 在中国古代社会中，婚丧嫁娶是最重要的日常生活内容。

19 逢年过节　俗语
féngnián guòjié
在新年之际或在其他节日里
on Spring Festival and other festivals

★ 他逢年过节总要给我打电话。

20 祭祀　动词
jìsì
置备供品对神佛或祖先行礼，表示崇敬并祈求保佑
offer sacrifice to gods or ancesters

★ 逢年过节，他总要祭祀祖先。

21	佛教 Fójiào	*名词* 世界主要宗教之一 Buddhism	★ 他信仰佛教，是个虔诚的佛教徒。
22	道教 Dàojiào	*名词* 中国主要宗教之一，东汉张道陵创立，奉老子为教祖 Taoism	
23	庙 miào	*名词* 古时供奉神佛或名人的处所 temple; shrine	
24	祈求 qíqiú	*动词* 诚心地恳求 pray for	★ 他祈求上天帮助。
25	佛 fó	*名词* 指创立佛教的释迦牟尼佛和一切明白宇宙和人生真相的觉者 Buddha	
26	菩萨 púsà	*名词* Bodhisattva	★ 观音菩萨　菩萨心肠
27	保佑 bǎoyòu	*动词* 指神力的护卫帮助 bless and protect	★ 逢年过节，他常常到庙里祈求佛菩萨保佑全家平安。
28	陌生 mòshēng	*形容词* 事先不知道，没有听说或没有看见过的 strange; unfamiliar	★ 这个地方对我来说很陌生。 ★ 反义词：熟悉
29	开端 kāiduān	*名词* [书面语]开始；事情的起头 beginning; start; outset	★ 良好的开端是成功的一半。
30	断裂 duànliè	*动词* [书面语]受到外力后断开 break	★ 由于地震，桥梁发生了断裂。
31	似曾相识 sìcéngxiāngshí	*成语* 好像以前认识 to seem to have met before	★ 这些词语看起来似曾相识，可是我已经想不起来在哪儿学过了。

147

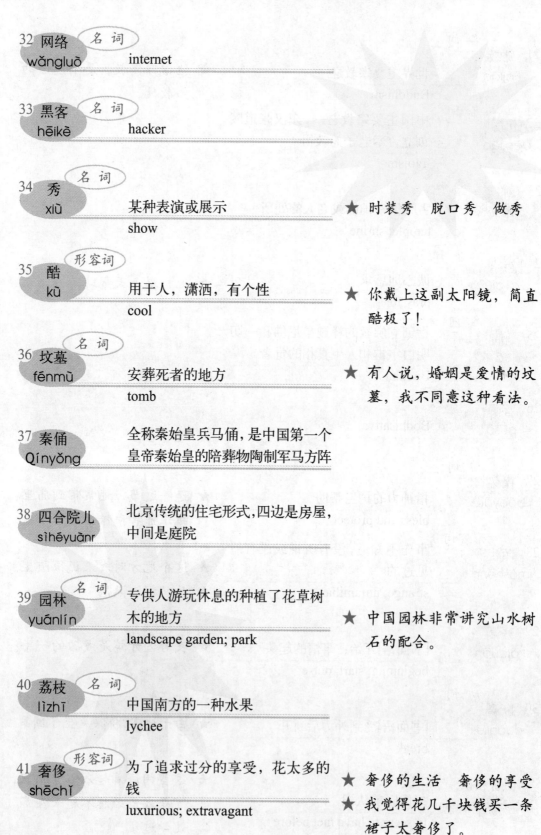

32 网络　名词
wǎngluō
internet

33 黑客　名词
hēikē
hacker

34 秀　名词
xiù
某种表演或展示
show

★ 时装秀　脱口秀　做秀

35 酷　形容词
kù
用于人，潇洒，有个性
cool

★ 你戴上这副太阳镜，简直酷极了！

36 坟墓　名词
fénmù
安葬死者的地方
tomb

★ 有人说，婚姻是爱情的坟墓，我不同意这种看法。

37 秦俑
Qínyǒng
全称秦始皇兵马俑，是中国第一个皇帝秦始皇的陪葬物陶制军马方阵

38 四合院儿
sìhéyuànr
北京传统的住宅形式，四边是房屋，中间是庭院

39 园林　名词
yuánlín
专供人游玩休息的种植了花草树木的地方
landscape garden; park

★ 中国园林非常讲究山水树石的配合。

40 荔枝　名词
lìzhī
中国南方的一种水果
lychee

41 奢侈　形容词
shēchǐ
为了追求过分的享受，花太多的钱
luxurious; extravagant

★ 奢侈的生活　奢侈的享受
★ 我觉得花几千块钱买一条裙子太奢侈了。

42　贬
biǎn
动词

古代官员被降职并被派到离首都很远的地方；给予低的评价；价值降低

abase; devaluate

★ 古时候，皇帝常常把自己不喜欢的官员贬到很远的地方去。

★ 他总喜欢贬别人、抬自己。

★ 最近美元贬了。

43　浪漫
làngmàn
形容词

romantic

★ 这是一个浪漫的爱情故事。

44　色彩
sècǎi
名词

颜色，比喻某种情调或思想倾向

hue; colouration; tinge

★ 这部电影充满了浪漫／神秘的色彩。

45　天涯若比邻
tiānyá ruò bǐlín
成语

住得很远，但好像离得很近

distance can't keep you two apart

★ 通过网络可以很方便地和国外的朋友联系，真是天涯若比邻。

46　公寓
gōngyù
名词

由居住单元组成的楼房，每层分隔成数家，各层房间格局大致相同

apartment house; block of flats

★ 我现在住在一套公寓里。

47　淡薄
dànbó
形容词

感情不深厚，印象不深刻

cold; faint

★ 人情淡薄　印象淡薄

48　七姑八姨
qīgūbāyí
俗语

亲戚关系很复杂

★ 他们家七姑八姨的，亲戚特别多。

49　表兄
biǎoxiōng
名词

姑母、姨母或舅父的儿子中比自己年长的人

50　田园诗
tiányuánshī

歌咏田园生活的诗歌

idyll; pastoral poetry

51　遥远
yáoyuǎn
形容词

很远

far; distant; remote; faraway

★ 遥远的未来　遥远的路程

52 秩序 名词
zhìxù
次序；整齐而有条理的状况
order; sequence

★ 政府已经采取了有效的措施来维持社会/经济秩序。

53 即 动词
jí
就是
viz.

★ 有些中国人给孩子起名字时要研究五行，即金、木、水、火、土。

54 礼仪 名词
lǐyí
礼节和仪式
rite; ritual

★ 讲究礼仪

55 伦理 名词
lúnlǐ
人际关系中应该遵守的道德准则
ethic

★ 伦理关系是儒家思想的核心内容之一。

56 巨大 形容词
jùdà
很大
huge; tremendous

★ 巨大的变化　巨大的成功

57 延续 动词
yánxù
照原来的样子继续下去
continue; last; go on

★ 两千多年来，端午节吃粽子的风俗就这样延续了下来，以后还会延续下去。

58 源头 名词
yuántóu
水的发源处，比喻事物的本源
source of a river

★ 黄河的源头在青海省。

专名

1. 张艺谋　Zhāng Yìmóu　中国当代著名导演，主要代表作有《红高粱》、《大红灯笼高高挂》、《菊豆》等。

2. 苏轼　Sū Shì　(1037-1101)北宋时期(960-1126)著名文学家、书画家，号东坡居士。

词语练习

一、请你根据拼音写出汉字，然后把它们填在合适的句子里：

> xiūxián　　mànhuà　　Rújiā
> sǎnwén　　zhīshifènzǐ

1.实行双休日制度以后，人们的(　　　　)方式发生了很大的变化。

2.你已经这么大了，怎么喜欢看(　　　　)书？

3.《鸟声的再版》是一篇美丽的(　　　　)。

4.在我看来，要了解中国文化，首先要研究(　　　　)经典。

5.有人说，(　　　　)是社会的良心，你同意这个观点吗？

> tújìng　　chuánméi　　jiànwén
> shúrén　　quānzi　　jìsì

6.现代人获取消息的主要(　　　　)是广播、电视、报纸等(　　　　)。

7.回国后，我打算把在中国的(　　　　)写成一本书。

8.你的社交(　　　　)太窄了，应该和更多的人来往。

9.每个人都会有很多(　　　　)，但朋友却是可遇而不可求的。

10.儒家认为，(　　　　)祖先可以增进活着的人的关系。

> miāo　　púsā　　bǎoyòu
> mòshēng　　jùdà　　kāiduān

11.逢年过节时，中国人常常到(　　　　)里祈求佛(　　　　)家人的平安。

12.中国人看到心地善良的人，常常说这个人是(　　　　)心肠。

13.这个地方我很(　　　　)，没有什么熟人。

14.改革开放以后，中国发生了(　　　　)的变化。

15.有人说，中国现代史的(　　　　)是发生在1919年的"五四运动"。

> fénmù   wǎngluō   kù
> shēchǐ   biǎn

16.埃及的金字塔是以前国王的(   )。

17.很多黑客通过(   )传播病毒。

18.你穿上这身黑衣服,再戴上黑色的太阳镜,真是(   )极了。

19.什么?用牛奶洗澡,你也太(   )了吧!

20.听说最近美元又(   )了。

> lǎngmàn   yáoyuǎn   dànbó
> yánxù   lúnlǐ

21.李白的诗歌充满了(   )色彩。

22.在(   )的东方,有一个崇拜龙的国家。

23.人们的生活水平提高了,人情却越来越(   )了。

24.据说,春节这个节日在中国已经(   )了上千年。

25.家庭(   )观念是中国社会的基础。

二、请你在下面的形容词后填上合适的名词,并用这个组合造句:

巨大的(   )

浪漫的(   )

遥远的(   )

陌生的(   )

淡薄的(   )

三、请你在下面的句子中填上合适的动词：

　　1.奶奶(　　　　　)远门了，下个月才回来。(单音节动词)

　　2.因为生词很多，预习课文时，查词典(　　　　　)了我不少时间。
　　　(单音节动词)

　　3.这次我们去上海要(　　　　　)火车去。(单音节动词)

　　4.这个词的用法我还不太清楚,您能给我(　　　　　)个例子吗? (单
　　　音节动词)

　　5.《英雄》是这位著名的导演刚(　　　　　)的一部影片。(单音节动
　　　词)

　　6.20世纪以来，中国(　　　　　)了巨大的变化。(双音节动词)

　　7.你认为中国社会秩序(　　　　　)的基础是什么? (双音节动词)

　　8.这首诗歌中(　　　　　)了浪漫色彩。(双音节动词)

四、请你根据前面的提示写出一个课文中学过词语，然后用这个词语造一个
　　句子：

　　1.路上听来的消息　　　　　　　　　　(　　　　)

　　2.过年过节的时候　　　　　　　　　　(　　　　)

　　3.仿佛以前认识　　　　　　　　　　　(　　　　)

　　4.很多亲戚　　　　　　　　　　　　　(　　　　)

　　5.虽然离得很远，却好像邻居一样　　　(　　　　)

五、请你查字典，看看下面词语和其中的黑体字是什么意思，然后再写出两
　　个由这个黑体字组成的词语：

　　见**闻**　　新**闻**　＿＿＿＿＿＿

　　熟人　　**熟**悉　＿＿＿＿＿＿

　　开**端**　　极**端**　＿＿＿＿＿＿

　　断**裂**　　分**裂**　＿＿＿＿＿＿

　　源头　　起**源**　＿＿＿＿＿＿

语言点

一、对……来说

◎ 对一般人来说，不断的婚丧嫁娶，加上一些家庭成员的生日和逢年过节祭祀祖先的活动，就是最普通的日常生活内容。

▲说明：这一结构表示从某人、某事的角度来看。常用在句子开头，也可以用在句子中间。有时也说"对于……来说"或者"对……说来"。例如：

1. 对日本人来说，写汉字并不困难。
2. 北京的天气对我这个南方人来说，有点儿太干燥了。

二、A＋所＋动词＋的＋B

◎ 今天的人们才真正体会到古人所期望的"天涯若比邻"的感觉。

▲说明："所"是助词，用在及物动词前面，跟"的"一起，修饰后面的词或词组，使整个结构成为一个名词性成分。A和B在意念上分别是动词的主语和宾语。在一定的语言环境中，"所……"修饰的B可以不出现。多用于书面。例如：

1. 我们所了解的情况还不够详细。
2. 清晨我们在森林里所录下的声音仿佛是一首雄壮的交响乐。
3. 这就是战争所造成的严重后果。
4. 你所说的和我所想的完全一样。

三、拿……来说

◎ 同样，今天中国的日常生活也已经变得越来越西化了。拿吃来说，吃饭的观念已经不同于过去，……

▲说明：这一结构引出一个例子，用来进一步说明前面所说的情况。例如：

1. 这个地方的生活很不方便，拿打电话来说，常常要到15公里以外的县城里去打。
2. 汉语中有一些词看似简单，含义却很复杂。拿"打"字来说，词典上列出的和它有关的短语就有 200 多个。

四、A 被 B 所 + 动词

◎　越来越多的大家庭已经**被**小家庭**所**代替。

　　▲说明：这是汉语被动句的一种非常书面的表达形式，"所"后面的动词多为双音节动词，而且不能再带其他成分。如果"所"后的动词为单音节，整个句子有很强的古代汉语色彩。例如：

1. 我们被江上动听的琴声所吸引，忘记了开船出发。
2. 他的声音被人群的欢呼声所淹没。
3. 他被生活所迫，只好放弃自己多年的梦想。

五、与／和 A 相比，B······

◎　**与**过去**相比**，今天的中国确实发生了巨大的变化。

　　▲说明：这个结构表示"和 A 进行比较时，B 在某些方面的特点"。后面的小句中多有表示比较含义的词语。例如：

1. 和弟弟相比，哥哥高多了。
2. 与北方人相比，南方人更喜欢喝茶。

六、毕竟

◎　不过，要了解现代中国，也必须要了解传统的中国。因为，现代中国**毕竟**是从古代中国延续过来的。

　　▲说明："毕竟"是副词，用来强调原因或特点，可以用在动词、形容词或主语前。例如：

1. 他虽然品学兼优，可毕竟还年轻，处理问题还是不够老练。
2. 这几天虽然风很大，可毕竟是三月了，天气比前些天暖和多了。
3. 毕竟是四川人，就是喜欢吃辣椒。

语言点练习

一、用所给词语按要求完成对话或句子：

1. A：为什么你每次生病都吃中药？

B：_____。(对……来说)

2. A：为什么你不让你的孩子看电视？

B：_____。(对……来说)

3. A：为什么很多中国老人不愿意去美国生活？

B：_____。(对……来说)

4. 汽车造成的污染非常严重。→

_____。(用"A＋所＋动词＋的＋B"改写)

5. 作者不愿意用他领悟到的一切去换一个健康的身体。→

_____。(用"A＋所＋动词＋的＋B"改写)

6. 他们承担的任务非常繁重。→

_____。(用"A＋所＋动词＋的＋B"改写)

7. 你说的和我想的完全一样。→

_____。(用"A＋所＋动词＋的＋B"改写)

8. 学习一门外语很不容易，_____。(拿……来说)

9. 20世纪留给我们很多让人头疼的"遗产"，_____。
(拿……来说)

10. 我们国家有很多方面和中国不同，_____。
(拿……来说)

11. 他的演讲吸引了我们。→

_____。(用"A被B所＋动词"改写)

12. 好奇心驱使孩子打开了抽屉。→

_____。(用"A被B所＋动词"改写)

13. 电子邮件代替了传统的通信方式。→

_____。(用"A被B所＋动词"改写)

14. A：你喜欢哪种朋友？知识丰富的还是幽默风趣的？

B：_____。(与／和A相比，B……)

15.A：你觉得现代中国和古代中国有什么不同？

   B：_____。(与／和 A 相比，B……)

16.A：你喜欢住在北京还是喜欢住在上海？

   B：_____。(与／和 A 相比，B……)

17.他才十三岁就上了北大，可是_____，还不太会照顾自己的生活。(毕竟)

18.现在是三月初，天气虽然还不太暖和，可_____，_____。(毕竟)

19.他的汉语非常好，可_____，_____。(毕竟)

20._____，就是喜欢喝酒。(毕竟)

二、请你用本课重要的语言点造句：

    ★ 对……来说

    ★ A＋所＋动词＋的＋B

    ★ 拿……来说

    ★ A 被 B 所＋动词

    ★ 与／和 A 相比，B……

    ★ 毕竟

综合练习

一、请你选择合适的介词填空，然后对照课文，看填得是否正确：

> 关于　对　从　把　使　被　由

1. 人们获得知识和消息的途径主要不是报纸、广播、电视这些现代传媒，而是一些刻印的书本、道听途说的见闻以及（　　）父老乡亲传授的经验。

2. 人们（　　）地理远近的观念和今天大不相同，（　　）北京到天津就是出远门了。

3. （　　）一般人来说，不断的婚、丧、嫁、娶，加上一些家庭成员的生日和逢年过节祭祀祖先的活动，就是最普通的日常生活内容。

4. 自从19世纪近代西方文明进入中国，（　　）中国经历了一次两千年来从未有过的巨变。

5. 人们从一个地方到另一个地方，要乘牛车马车，所以从广东（　　）荔枝快运到长安，就成为奢侈的话题。

6. 越来越多的大家庭已经（　　）小家庭所代替。

二、请你先读下面的课文，特别注意课文的结构，然后根据后面的提示，完成练习：

> 　　如果可以回到百年以前的中国，你就会看到，<u>那个时候的中国和现在大不一样</u>。举几个例子，a)人们读的书………；b)人们获得知识和消息的途径……；c)人们的社会生活……**除此之外**，佛教与道教同人们的生活隔得并不远，到庙里去祈求佛菩萨保佑家人平安，也是很多人日常生活的重要内容之一。
>
> 　　可是，<u>自从19世纪近代西方文明进入中国</u>，使中国经历了一次两千年来从未有过的巨变，现代的中国似乎与传统的中国有了"断裂"。

比方说，……另外，……

　　同样，今天中国的日常生活也已经变得越来越西化了。a)拿吃来说，……b)再拿住来说，……

　　总之，与过去相比，今天的中国确实发生了巨大的变化。

　　*在这几段课文中，划线的黑体字是每一段的主题，a、b、c等是说明主题的例子，最后的"总之"是总结。请你仿照这篇课文的结构，在下面的两个题目中任选一个，写一段 200 字左右的文章。

- 中国变了
- 世界变了

阅读　副课文

新一代书生

　　孩子上了小学，没有读几天书，我就已经发现我们过去的书本对她无用。现在的确是一个新的时代了。

　　一次语文考试，女儿得了99分，她将一个填空"青青的<u>瓦</u>(wǎ)白白的墙"写成了"清清的瓦"。我问她这个错误是如何产生的，女儿却问我："什么是瓦？"什么是瓦？我这才猛醒，她这个7岁的小人儿的确还从来没有见到过瓦，更何况"青青的瓦"？孩子的老师一定与我一样，以为瓦这个东西是不用讲解的，根本就没有意识到现在的城市孩子对瓦完全没有认识。现在我们居住的城市里到处高楼林立，高楼的楼顶上是顶楼平台，平台同时又是隔热板；隔热板是水泥做的，水泥是灰白色的。青青的瓦已经变得像田园诗一样遥远

瓦：旧时中国盖房顶的建筑材料。

了。除非把孩子们带到很远很远的乡村去，否则他们根本不能理解这样的歌谣。

　　对于语文课本里的《孔融(Kǒng Róng)让梨》这一课，孩子们一出课堂就把老师所讲的深远意义放在了一边。他们

孔融：汉末文学家，相传4岁的时候，就主动把大的梨让给哥哥吃。

有自己的理解。他们说我们不用向孔融学习，我们与孔融的想法一样。倒是我们的家长应该向孔融的家长学习。我们都愿意吃小的水果或者不吃水果把它让给家长和别人吃，但是家长很烦人，总是强迫我们吃。

　　我们从前学习的《司马光打破缸(Sīmǎ Guāng dǎpò gāng)》在现在的孩子面前也出现了问题。首先缸是什么？做什么用的？一个家里怎么会有那么大的缸？现在砸缸的话，家里怎么会找得到那么大的石头？于是我们只好耐心地告诉孩子，这个古人的故事只是为了让孩子们懂得一个道理，就是遇事要多动脑筋想办法。孩子们听到这里，突然又会冒出另外的一个问题，他们说："既然是这个意思，那么在另外一课里，那个古人老太婆怎么又不动脑筋，非要把一根铁棒磨成针(tiěbàng mó chéng zhēn)呢？那多么浪费时间，应该动脑筋搞科学研究，用机器把铁棒制造成针。"

　　我们不能说六七岁的学童的思想完全没有道理。他们喜欢吃麦当劳，认为麦当劳叔叔把他的快餐店设计得很有趣。他们一下子就能接受电脑，觉得小小的一部机器装下大大的一个世界是一件很好很方便的事情。他们学好课文多半是为学习成绩的优秀。我女儿三四岁的时候，我经常给她朗读安徒生(Āntúshēng)童话和唐诗宋词。那时候，她听得十分入神，现在就不行了。上学了，认识许多字了，自己会看书看电视了，再看安徒生的童话，她就有了自己的见解，说：故事很美，但是一听就知道是作家编的。对于唐诗宋词，她

司马光打破缸：司马光是北宋大臣、史学家。相传他小时候在院子里玩耍时，有一个小朋友不小心掉进了装满水的大缸里，司马光用石头打破缸，救了落水的孩子。

铁棒磨成针：相传唐朝诗人李白小时候不喜欢读书，有一天，他逃学出来，看到一个老婆婆在用铁棒磨针，感到很好奇。老人家告诉他，只要功夫深，铁棒可以磨成针，使李白明白了努力学习的道理。

安徒生：Andersen
　　　　1805－1875，丹
　　　　麦童话作家

161

的说法就更<u>刻薄</u>(kèbó)了，她说：有一些像<u>顺口溜</u>
(shùnkǒuliū)，比如"锄禾日当午，汗滴禾下土，谁知
盘中餐，粒粒皆辛苦"，她认为制作一部农民种田的电
视专题片给孩子们看效果会更好。

　　现在我的女儿老是抱怨没有他们喜欢的书。的确
如此，现在的孩子不是我们那个时代的孩子了。对前
人的书，他们自有自己的读法，这就是我们必须面对
的现实。

　　　　　（作者池莉，根据教材需要有改动。）

刻薄：对待别人很厉害
顺口溜：doggerel 民间的
　　　一种口头韵文

讨论题

1. 作者的女儿是在什么样的环境里成长的?
2. 作者用了几件事情来说明孩子的看法和传统教育之间
　 有冲突?
3. 你认为作者写这篇文章的目的是什么?
4. 你觉得传统中国和现代中国之间有差异吗?
5. 传统中国和现代中国你更喜欢哪一个? 为什么?

第10课   我为什么吃素

预 习

这一课谈的是有关素食的话题,请你预习课文,并回答下面的问题。

1 作者吃素的理由是什么?请你填写在下表的左栏里。

2 下面这些论据分别是用来支持哪个理由的?请你把它前面的号码填在下表的右栏里。

1. 动物在被宰杀时,由于恐怖、愤怒和悲伤,体内会分泌很多毒素。
2. 豆腐、花生等还是优质蛋白质的来源。
3. 生产一斤牛肉所需的石油,可用来生产四十斤大豆。
4. 食肉动物的胃酸是人类的二十倍。
5. 肉类无法对人体新陈代谢所产生的酸性物质进行中和。
6. 孔子说"己所不欲,勿施与人"。
7. 素食可以给我们提供丰富的维生素和矿物质。
8. 食肉动物有捕食其他动物的利爪与尖牙,但人类没有。
9. 酸性物质轻则会妨害身体各器官的机能,重则甚至会引起多种疾病。
10. 人体肠道的长度与食草动物相似。
11. 畜牧业的过度发展还使大片草原变成沙漠。
12. 大部分蔬果是碱性食物,肉类则是酸性食物。
13. 如果全人类都吃素,能源危机将是二百六十年后的问题。

14. 选择吃素是培养慈悲心的第一步,也是营造世界和平的第一步。
15. 养活一个肉食者所需的土地生产力,能养活二十个素食者。
16. 吃肉使我们把弱肉强食、损人利己看成是理所当然的法则。
17. 世界上强国欺侮弱国和人类吃掉一条鱼是在同一原则下进行的。
18. 血管失去弹性会引起动脉硬化、高血压和心脏病。
19. 动物虽不会讲话,但同样有求生的本能。
20. 沙漠化造成黄沙满天的恶劣天气。

吃素的理由	论 据
1.	
2.	
3.	
4.	

课 文

我为什么吃素

我并不是一个天生的素食者，我吃素是从30岁时开始的，常常有人好奇地问我吃素的原因，我究竟为什么要选择吃素呢？

不少人认为，吃肉有利于身体健康，吃素则会营养不良，我不同意这种观点。事实上，素食者并不缺乏人体所必需的任何营养素，因为素食不但可以给我们提供丰富的维生素和矿物质，而且豆腐、花生等还是优质蛋白质的来源，所以吃素并不意味着营养不良，**相反**，吃肉却会给身体带来很多隐患。

众所周知，血液是身体的命脉，而血液只有在弱碱性时才能发挥正常作用。一般来说，食物可以分为酸性食物和碱性食物，给我们身体提供基本热量的主食如米饭、面包等都是酸性食物，而大部分蔬果则是碱性食物，它们可以中和体内有害的酸性物质，使身体保持酸碱平衡，这不正是大自然美妙的安排吗？而肉类则是酸性食物，无法对人体新陈代谢所产生的酸性物质进行中和。因此，一个**以**肉食**为主**的人的血液是酸性的，这些酸性物质具有强烈的刺激性，**轻则**会妨害身体各器官的机能，**重则**甚至会引起多种疾病。不但如此，肉食吃多了，动物脂肪会使血管渐渐失去弹性，久而久之极易引起动脉硬化，从而诱发高血压和心脏病。另外，动物在被宰杀时，由于恐怖、愤怒和悲伤，体内会分泌很多毒素，这些毒素会随着所谓的美味进入肉食者体内，对身体造成危害。所以，**姑且不论**其他，

仅就人类自身健康而言，吃素也是最明智的选择。

有人说，肉食本来就是人类的食物，对这一观点我也不赞成。首先，食肉动物有捕食其他动物的锋利的爪牙，但人类没有。其次，食肉动物的胃酸是人类的20倍，如此强的酸环境才足以消化肉与骨头，但人类的胃酸却要弱得多。第三，人体肠道的长度与肉食动物大不相同，而与食草动物相似。所有这一切，不正是大自然的一种暗示吗？

另外，**就**环保**而言**，选择吃素也是非常有意义的举动。要知道，养活一个肉食者所需的土地生产力，能养活20个素食者。生产一斤牛肉所需的石油，可用来生产40斤大豆。如果全人类都是肉食者，世界石油储量将于13年内被用尽，但若都吃素，能源危机将是260年后的问题。除此之外，地表土的损耗是历史上许多文明消失的原因，而地表土损耗的原因中有85%与畜牧业有关。畜牧业的过度发展还使大片草原变成沙漠，当人们抱怨黄沙满天的恶劣天气时，却很少想到，食肉其实才是真正的祸源。

除了上述的原因外，我之所以下决心吃素，还因为道德方面的原因。我终于渐渐明白，世界上强国欺侮弱国和我吃掉一条鱼是在同一原则下进行的。孔子说"己所不欲，勿施与人"，自己不愿意承受的事情不能强加在他人身上。作为人，我们爱惜自己的生命，不愿意他人来伤害，动物虽不会讲话，但同样有求生的本能，如果我们为了享受美味，为了所谓的营养，就可以随意伤害其他动物的生命，那么实际上我们已经把弱肉强食、损人利己看成是理所当然的法则，在这一法则下，我们怎么能建立起公正和平的世界秩序呢？因此，我认为，选择吃素是培养慈悲心的第一步，也是营造世界和平的第一步。

上述这些当然不是我吃素的全部理由，但已足以支持我告别肉食。事实上，我选择吃素以后，从未感到过后悔，而是觉得生活翻开了崭新的一页。

生 词

1　素　（名词）　没有鱼、肉等，只有瓜果、蔬
　sù　　菜等的饭食
　　　　vegetarian meal

★ 吃素　素食　素菜

2　天生　（形容词）　天然生成
　tiānshēng　inborn; born; inherent

★ 妈妈天生不喜欢吃肉。
★ 他身上有一种天生的活力。

3　维生素　（名词）
　wéishēngsù　vitamin

★ 蔬菜和水果中含有大量的维
　生素。

4　矿物质　（名词）
　kuàngwùzhì　mineral

★ 缺乏矿物质和维生素会使人
　生病。

5　花生　（名词）
　huāshēng　peanut

6　优质　（形容词）　好质量；高质量
　yōuzhì　of high quality

★ 豆腐中含有大量的优质蛋白质。

7　蛋白质　（名词）
　dànbáizhì　protein

8　来源　（名词、动词）　根源；起源；产生
　láiyuán　causation; origin; source

★ 父亲的工资是全家惟一的经
　济来源。
★ 京剧来源于徽剧、昆曲和其
　他一些地方戏。

9 *相反　（形容词）　事物的两个方面相互对立
　xiāngfǎn　opposite; contrary

★ 我的观点和你的恰恰相反。

10　隐患　（名词）　潜藏或不易发现的危险
　yǐnhuàn　hidden danger

★ 墙上有一道裂缝，这个隐患
　必须马上消除。

11 众所周知
zhòngsuǒzhōuzhī
成语
人人都知道
as everyone knows

★ 众所周知，中国是个历史悠久的国家。

12 血液
xuèyè
名词
blood

13 命脉
mìngmài
名词
指生命,血脉,比喻生死相关的事物
life lines

★ 石油是中东地区的经济命脉。

14 碱性
jiǎnxìng
形容词
alkalescence

15 发挥
fāhuī
动词
表现出内在的能力
to bring (skill, talent etc.) into play

★ 比赛的时候，他太紧张，没有把平时的水平发挥出来。
★ 这次我们队赢了比赛，是因为我们充分发挥出了自己的优势。

16 酸性
suānxìng
形容词
acidity

17 蔬果
shūguǒ
名词
蔬菜和水果

18 中和
zhōnghé
动词
相对的事物互相抵消,失去各自的性质
neutralize

★ 酸碱中和

19 新陈代谢
xīnchéndàixiè
成语
指生命生长、发育、分解的总过程。比喻新事物生长发展,代替旧事物。
metabolism

★ 任何事物都有一个新陈代谢的过程。

20 强烈
qiángliè
形容词
力量很大的;强度很高的;鲜明的
strong; intense; violent

★ 强烈的阳光　强烈的地震
★ 强烈的不满　强烈的要求

21 刺激 cìjī 【动词、形容词】
外界事物作用于某事物，使它起变化或受到某种影响
stimulate; provoke; excite;

★ 政府制定了一系列新政策来刺激经济增长。

★ 他这个人脾气不好，你不要刺激他。

★ 他觉得看恐怖电影很刺激。

22 妨害 fánghài 【动词】
[书面语]有害于；干扰
hurt; disturb

★ 你这样做，会妨害工作/学习/健康。

★ 据说，缺乏维生素D会妨害人体对钙的吸收。

23 器官 qìguān 【名词】
organ

24 脂肪 zhīfáng 【名词】
人和动植物体中的油性物质
fat

25 弹性 tánxìng 【名词】
物体受外力作用发生变形、除去外力能恢复原来形状的性质
elasticity

★ 缺乏弹性 失去弹性

26 久而久之 jiǔérjiǔzhī 【成语】
经过了相当长的时间，然后……
in the course of time; as time passes

★ 我开始早起本来是为了上课，久而久之却成了一种习惯。

27 动脉硬化 dòngmài yìnghuà
一种疾病，血管壁增厚，弹性减弱，血管狭窄，甚至造成堵塞
arteriosclerosis

★ 他得了动脉硬化。

28 诱发 yòufā 【动词】
由一种(疾病、事件等)导致发生另一种(疾病或事件等)
cause to happen; bring out; induce

★ 动脉硬化往往会诱发高血压和心脏病。

29 高血压 gāoxuèyā 【名词】
一种疾病，动脉血压的异常升高
high blood pressure; hypertension

30 心脏病 xīnzàngbìng 【名词】
心脏的疾病
heart disease; cardiopathy

| 31 | 宰杀
zǎishā | 动词 | 杀死牲畜、家禽等
slaughter; butcher | ★ | 动物在被宰杀时，会分泌
大量毒素。 |

★ 动物在被宰杀时，会分泌大量毒素。

31 宰杀 zǎishā 〔动词〕
杀死牲畜、家禽等
slaughter; butcher

32 恐怖 kǒngbù 〔形容词〕
使人非常害怕
horror; terror

★ 感到很恐怖
★ 恐怖电影　恐怖分子
恐怖主义

33 愤怒 fènnù 〔形容词〕
非常生气(到极点)
anger; indignant

★ 他不屑的口气，让我感到
非常愤怒。

34 分泌 fēnmì 〔动词〕
由生物体内产生某种物质
secretion

★ 人在愤怒时，体内会分泌
有害物质。

35 危害 wēihài 〔动词〕
伤害或损害
harm; endanger

★ 危害身体　危害农作物

36 *姑且 gūqiě 〔副词〕
[书面语]先；暂时
tentatively

★ 在新电脑买来之前，你姑
且用这台旧的吧。

37 明智 míngzhì 〔形容词〕
聪明，能作正确选择
sagacious; sensible; wise

★ 在我看来，吃素是一个明
智的决定/举动/选择。

38 锋利 fēnglì 〔形容词〕
快而尖
sharp; keen

★ 锋利的刀子　锋利的爪牙
★ 锋利的笔

39 爪牙 zhǎoyá 〔名词〕
动物的尖爪和利牙；帮凶
claws and teeth; tool; accomplice

★ 这个恐怖组织的首领有很
多爪牙。

40 肠道 chángdào 〔名词〕
人和动物消化器官之一
intestines

41 暗示 ànshì 〔动词、名词〕
不明说,而用含蓄的话或动作使人
明白
drop a hint; hint

★ 他用眼睛暗示我，叫我别
往下说了。
★ 她已经给了你很多暗示，
你还不明白吗？

42 **有意义**
yǒu yìyì

有价值的；重要的
significant; have meaning

★ 我认为去农村实习对大学生来说很有意义。

43 **举动** 名词
jǔdòng

行动
act; movement

★ 他的举动让人感到莫名其妙。

44 **养活** 动词
yǎnghuo

提供生活的基础
provide for; support; feed

★ 靠……养活

45 **储量** 名词
chǔliàng

储备的、储藏的数量
reserves

★ 中东的石油储量非常丰富。

46 **危机** 名词
wēijī

指严重困难的时期
crisis

★ 那个国家发生了/存在着严重的经济/政治/能源危机。

47 **损耗** 动词
sǔnhào

消耗损失
loss

★ 损耗能源

48 **畜牧业** 动词
xūmùyè

放养家畜的产业
stock raising

★ 这个地区适合发展畜牧业。

49 **抱怨** 动词
bàoyuàn

心中不满意,责怪别人
complain; grumble

★ 学生常常抱怨作业太多。
★ 你不要总是抱怨别人,要多反省反省自己。

50 **恶劣** 形容词
èliè

很坏
bad; abominable

★ 这里的环境/条件/天气很恶劣。
★ 他最近情绪很恶劣。

51 **祸源** 名词
huòyuán

(人或事物)引起麻烦的根源
the root of the trouble; bane

★ 作者认为,食肉是沙漠化的祸源。

| 52 | 欺侮 | 动 词 | 力量强的一方压制力量弱的一方 | ★ | 以前他因为个子矮，在学校常常受大孩子的欺侮。 |

52 欺侮 qīwǔ （动词）
力量强的一方压制力量弱的一方
bully
★ 以前他因为个子矮，在学校常常受大孩子的欺侮。

53 己所不欲，勿施与人 jǐsuǒbúyù, wùshīyǔrén （成语）
儒家重要的主张之一。自己不愿意承受的，不加在别人身上
Do not do to others what you don't want to be done to you.
★ 你希望别人客气地对待你，那你为什么对别人这么不客气呢？"己所不欲，勿施与人"嘛！

54 本能 běnnéng （名词）
天生的、不学就会的能力
instinct
★ 求生是所有动物的本能。

55 弱肉强食 ruòròuqiángshí （成语）
弱者的肉是强者的食物。比喻弱者被强者欺侮
ravin, law of the jungle
★ 他愤怒地说："这真是一个弱肉强食的世界！"

56 损人利己 sǔnrénlìjǐ （成语）
为自己的利益而使别人受损失
seek satisfaction for oneself at the cost of others
★ 他这个人非常自私，常常干一些损人利己的事情。

57 理所当然 lǐ suǒ dāng rán （成语）
按道理应该如此
a matter of course
★ 有人把弱肉强食看成是理所当然的事情。

58 法则 fǎzé （名词）
规律
rule
★ 自然的法则

59 慈悲 cíbēi （形容词）
给人快乐，将人从苦难中救出来，也指慈爱与同情
merciful
★ 这个人像菩萨一样慈悲。

60 崭新 zhǎnxīn （形容词）
非常新
brand-new
★ 崭新的衣服
崭新的生活

词语练习

一、请你根据拼音写出汉字，然后把它们填在合适的句子里：

> wéishēngsù　　tiānshēng　　sù
> dànbáizhì　　yǐnhuàn

1. 你是什么时候开始吃(　　)的？
2. 这个孩子(　　)爱看书。
3. 西红柿含有丰富的(　　)。
4. 花生和大豆可以给我们提供大量的优质(　　)。
5. 春节期间之所以禁止放鞭炮，是为了消除火灾的(　　)。

> zhōngsuǒzhōuzhī　　mìngmài　　fāhuī
> shūguǒ　　qiángliè　　cìjī

6. (　　)，石油是中东地区经济的(　　)。
7. 演讲的时候，你不要紧张，一定要把自己的实际水平(　　)出来。
8. (　　)中含有大量的维生素和矿物质。
9. 政府发言人对邻国政府干涉本国内政的做法表示(　　)的不满。
10. 看恐怖电影时，他一边怕得要命，一边感到很(　　)。

> fānghài　　zhīfáng　　tánxìng　　dòngmàiyìnghuà
> yòufā　　zǎishā　　fēnmì

11. 经常吃肉，会使血管渐渐失去(　　)，从而引起(　　)，(　　)身体健康。
12. 豆腐是一种高蛋白、低(　　)的健康食品。
13. 大量吸烟饮酒会(　　)高血压和心脏病。
14. 因为发生了一种动物传染病，这个地区在几周内已经(　　)了数万头牛。
15. 听说人在恐怖、愤怒和悲伤时，体内会(　　)出大量毒素。

wēihài	míngzhì	fēnglì
zhǎoyá	ānshì	jǔdòng

16. 你切菜的时候要当心一点，因为那把刀子特别(　　)。

17. 这个地区的武装冲突不断升级，依我看，我们换个地方去旅行是(　　)的选择。

18. 为什么我们国家的政府一定要跟在这个超级大国的身后，当它侵犯别国的(　　)呢?

19. 工业的过度发展已经给环境造成了很大的(　　)。

20. 那位著名影星(　　)将在不久退出影坛。

21. 他奇怪的(　　)让人感到莫名其妙。

qīwǔ	xīnchéndàixiè	chǔliáng	wēijī
bāoyuān	xùmùyè	huǒyuán	èliè

22. 世界石油(　　)最丰富的地方往往是战争最频繁的地方。

23. 1997年，亚洲发生了严重的金融(　　)。

24. 当人们(　　)黄沙满天的(　　)的天气时,却很少会想到吃肉才是真正的(　　)。

25. 400mm 降水线是农业和(　　)的分界线。

26. 这个国家的中小学中,(　　)弱小同学的现象非常严重。

27. 植物在(　　)时会释放大量氧气。

二、请你在下面的形容词后填上合适的名词，并用这个组合造句:

恶劣的(　　　)　　优质的(　　　)　　强烈的(　　　)

明智的(　　　)　　锋利的(　　　)　　慈悲的(　　　)

崭新的(　　　)　　丰富的(　　　)　　有意义的(　　　)

三、请你在下面的动词后填上合适的宾语,然后用这个搭配造一个句子:

提供(　　　)　　发挥(　　　)　　保持(　　　)

诱发(　　　)　　赞成(　　　)　　欺侮(　　　)

四、请你根据下面的句子写出一个成语，然后用这个词语造一个句子：

1. 自己不愿意的事情不应该强加在别人身上。 （　　　　）
2. 弱者的肉是强者的食物。比喻弱者被强者欺侮。 （　　　　）
3. 为自己的利益而使别人受损失。 （　　　　）
4. 按道理应该如此。 （　　　　）
5. 经过了相当长的时间，然后…… （　　　　）

五、请你查字典，看看下面词语和其中的黑体字是什么意思，然后再写出两个由这个黑体字组成的词语：

吃**素**	**素**食	_____	_____
维生**素**	营养**素**	_____	_____
优质	**优**秀	_____	_____
隐**患**	心头大**患**	_____	_____
危机	**危**险	_____	_____
祸源	车**祸**	_____	_____

语言点

一、……，相反……

◎ 所以吃素并不意味着营养不良，**相反**，吃肉却会给身体带来很多隐患。
▲说明：这里的"相反"用来连接两个句子，表示递进性转折。例如：

1.吃药后，他的病不但没有好，相反更重了。
2.北方人的性格很豪爽，相反，南方人的性格则比较温柔。

二、以……为主

◎ 因此，一个**以**肉食**为主**的人的血液是酸性的，……
▲说明：这一结构表示在一定范围内，某一方面占很大的比例。例如：

1.这次展出的汽车以国产车为主。
2.中国的园林以私家园林为主。

三、轻则……重则……

◎ 这些酸性物质具有强烈的刺激性，**轻则**会妨害身体各器官的机能，**重则**甚至会引起多种疾病。
▲说明：这一结构用来说明一件事情可能带来的不好的后果，"轻则"的后面是不太严重的后果，"重则"的后面是比较严重的后果。常有"会"配合使用。例如：

1.畜牧业过度发展，轻则会破坏草场，重则会造成严重的沙漠化。
2.如果母亲在怀孕期间使用这种药物，轻则会使婴儿感到不适，重则甚至会造成婴儿先天性残疾。

四、姑且不论 A，B……

◎ **姑且不论**其他，仅就人类自身健康而言，吃素也是最明智的选择。
▲说明："姑且"是副词，在这里表示让步，就是先不谈比较复杂的 A，只看很明显的 B 就可以很容易得出某种结论，暗示从 A 也可以得出相同的结论。"不论"也可以用作"不管、不谈、不看、不说"等。例如：

1.姑且不论你有没有道理，动手打人就是你的不对。

2.姑且不说其他，只从健康方面考虑，戒烟也十分必要。

五、就……而言

◎　另外，**就**环保**而言**，选择吃素也是非常有意义的举动。

▲说明:这个结构表示从某方面来看或来考虑,可以得出某种结论。例如:

1.仅就人类自身健康而言，吃素也是最明智的选择。

2.就孩子而言，看电视并不是最好的娱乐方式。

3.就学习外语而言，有时候课下比课上更重要。

语言点练习

一、用所给词语按要求完成对话或句子：

1. A：上次吵架之后，他们是不是分手了？

   B：＿＿＿＿＿＿＿＿＿＿＿＿＿＿＿＿＿＿＿＿。(相反)

2. A：你觉得东方文化和西方文化有什么不同？

   B：＿＿＿＿＿＿＿＿＿＿＿＿＿＿＿＿＿＿＿＿。(相反)

3. A：你们班的同学中哪个国家的人最多？

   B：＿＿＿＿＿＿＿＿＿＿＿＿＿＿＿＿＿＿＿。(以……为主)

4. A：你们国家的常吃什么主食？

   B：＿＿＿＿＿＿＿＿＿＿＿＿＿＿＿＿＿＿＿。(以……为主)

5. A：如果缺太多的课会有什么后果？

   B：＿＿＿＿＿＿＿＿＿＿＿＿＿＿＿＿＿。(轻则……重则……)

6. A：吃太多的肉食对身体会有什么危害？

   B：＿＿＿＿＿＿＿＿＿＿＿＿＿＿＿＿＿。(轻则……重则……)

7. A：你怎么知道他不是中国人？

   B：＿＿＿＿＿＿＿＿＿＿＿＿＿＿＿＿＿＿＿。(姑且不论)

8. A：为什么你认为孔子的儒家思想是一种有意义的学说？

   B：＿＿＿＿＿＿＿＿＿＿＿＿＿＿＿＿＿＿。(姑且不论)

9. A：你喜欢南方还是喜欢北方？

   B：＿＿＿＿＿＿＿＿＿＿＿＿＿＿＿＿＿＿＿。(就……而言)

10. A：你觉得这本书怎么样？

    B：＿＿＿＿＿＿＿＿＿＿＿＿＿＿＿＿＿＿＿。(就……而言)

二、请你用本课重要的语言点造句：

★ 相反

★ 以……为主

★ 轻则……重则……

★ 姑且不论 A，B……

★ 就……而言

综合练习

一、请你选择合适的介词填空，然后对照课文，看填得是否正确：

就　于　对　把　使　被　给

1.不少人认为，吃肉有利(　　)身体健康，吃素则会营养不良。

2.素食可以(　　)我们提供丰富的维生素和矿物质。

3.吃肉会(　　)身体带来很多隐患。

4.蔬果是碱性食物，可以(　　)身体保持酸碱平衡。

5.肉类是酸性食物，无法(　　)人体新陈代谢所产生的酸性物质进行中和。

6.肉食吃多了，动物脂肪会(　　)血管渐渐失去弹性。

7.动物在(　　)宰杀时，体内会分泌很多毒素。

8.姑且不论其他，仅(　　)人类自身健康而言，吃素也是最明智的选择。

9.有人说，肉食本来就是人类的食物，(　　)这一观点我也不赞成。

10.畜牧业的过度发展还(　　)大片草原变成沙漠。

11.如果我们为了享受美味，就可以随意伤害其他动物的生命，那么实际上我们已经(　　)弱肉强食、损人利己看成是理所当然的法则。

二、请你先读下面的课文，注意学习课文中是怎样反驳别人的观点而支持自己的观点的，然后根据后面的提示，完成练习：

　　1.**不少人认为**，吃肉有利于身体健康，吃素则会营养不良，**我不同意这种观点**。事实上，素食者并不缺乏任何人体所必需的营养素，**因为**素食不但可以给我们提供丰富的维生素和矿物质，而且豆腐、花生等还是优质蛋白质的来源，**所以**吃素并不意味着营养不良，相反，吃肉却会给身体带来很多隐患。

2.众所周知，血液是身体的命脉，但血液只有在弱碱性时才能发挥正常作用。……一个以肉食为主的人的血液是酸性的，这些酸性物质具有强烈的刺激性，轻则会妨害身体各器官的机能，重则甚至会引起多种疾病。**不但如此**，肉食吃多了，动物脂肪会使血管渐渐失去弹性，久而久之极易引起动脉硬化，从而诱发高血压和心脏病。**另外**，动物在被宰杀时，由于恐怖、愤怒和悲伤，体内会分泌很多毒素，这些毒素会随着所谓的美味进入肉食者体内，对身体造成危害。**所以**，姑且不论其他，只就人类自身健康而言，吃素也是最明智的选择。

3.**有人说**，肉食本来就是人类的食物，**对这一观点我也不赞成。首先**，食肉动物有捕食其他动物的锋利的爪牙，但人类没有。**其次**，食肉动物的胃酸是人类的二十倍，如此强的酸环境才足以消化肉与骨头，但人类的胃酸却要弱得多。**第三**，人体肠道的长度是身体的二十倍，与肉食动物迥异，而与食草动物相似。所有这一切，不正是大自然的一种暗示吗？

---

*在这几段课文中，段落1和段落3是反驳别人的观点，段落2则是支持自己的观点。请你仿照这些段落的结构，使用文中的黑体字，在下面的两个题目中任选一个，写一段400—450字左右的文章。

- 我为什么吃肉
- 我为什么吃素

阅读 副课文

素食者起步

　　素食者就是不吃肉、鱼、家禽或任何屠宰场 (tūzǎichǎng) 的副产品的人，他们以谷物、豆类、坚果 (jiānguǒ)、种子类、蔬菜和水果为日常饮食，蛋、牛奶和奶制品可以选择吃或不吃。

　　每一个素食者都有自己选择吃素的理由，但是一项调查发现，多数人说他们之所以放弃肉食，是因为在道德上不赞成杀害动物。随着人们愈 (yù) 来愈认识到健康食品的重要性，许多人也因为素食与营养学家及医生所推荐 (tuījiàn) 的低脂肪、高纤维 (xiānwéi) 的饮食相符合而成为素食者。当人们更多地意识到饲养动物作为食用肉正对环境产生影响时，关心环境也成为选择素食的一个因素。因为如果把饲养供食用的动物的土地资源改成种植庄稼 (zhuāngjia)，可以养活更多的人。

　　有人以为，素食者都营养不良，其实这种论调 (lùndiào) 早就过时了。素食并不是维持一种就 (jiù) 着一些生菜叶吃米饭的穷困的生活。素菜并不意味着把肉拿走而剩下旁边的蔬菜。吃那些现存的数百种不同的蔬菜、谷物、水果、豆类、坚果和种子类的东西，你可以毫不费力地活到一百岁。事实上，素食是一种多样化的、均衡的饮食，是一种符合最新营养学家所推荐的低脂肪高纤维的饮食。这就是为什么素食者很少

屠宰场：集中杀死动物的地方
坚果：nut

愈：越

推荐：建议别人采用
纤维：fibre

庄稼：用来产粮食的植物

论调：观点
就：搭配着吃

患高血压、心脏病、糖尿病(tángniàobìng)、肥胖症、癌症(áizhèng)等疾病的原因，医学研究已经证明了这一点。所以姑且不说别的什么原因，单单为了爱护你的身体，就应该马上吃素!

  吃素并不像你想像得那么困难。素食食品在商店和餐馆到处都可以看到，而且在你自己的厨房也很容易烹制(pēngzhì)。用不了半个小时，你就能做好一个像样儿的沙锅豆腐，如果加入一些木耳(mù'ěr)和海带(hǎidài)，这份菜就不但可以给你提供丰富的蛋白质，而且还含有大量铁和钙(gài)。至于水果沙拉(shālā)、凉拌西红柿，那就更容易做了。众所周知，其中含有大量的维生素。另外，你还可以用核桃仁(hétaorén)、杏仁(xìngrén)和花生仁加一些面粉，做成美味的小点心。有这么多美味的食谱和可口的食物，放弃肉食并没有牺牲什么。加上当你知道自己吃的是一份既不杀生又不浪费世界资源的健康饮食，你将会感到非常愉悦。

  严格的素食者理所当然地放弃所有的奶制品、蛋和任何其他的动物副产品。但实际地讲，人们很难一夜之间从一个肉食者变成一个严格的素食者，素食主义是一个很重要的中间站。而即使你不继续成为一名严格的素食者，但通过放弃肉食，你就已经取得了效果，并且挽救了很多动物的生命。你试着开始吃素，意味着你正努力地改善你的生活方式，在素食主义的道路上，走多远取决于你自己，但无论你的步子多么小，都不是浪费。

  开始吃素之后，千万不要把自己卷入(juǎnrù)争

糖尿病: diabetes

癌症: cancer

烹制: 做菜

木耳: agaric
海带: kelp, 海底石头上
   一种带状的菜。

钙: calcium
沙拉: salad

核桃仁: walnut kernel
杏仁: almond

卷入: 被迫参加。

181

论，你要做的只是顺便收集一些关于健康素食的资料，以便能够平静地解释为什么选择吃素，然后试着给朋友介绍一些你喜爱的无肉的美餐，看看是否能够通过树立好的榜样来赢得他们。

讨论题

1. 什么是素食者？
2. 人们选择吃素的原因一般有哪些？
3. 吃素会营养不良吗？为什么？
4. 吃素困难吗？
5. 吃素的过程中应该注意什么？

第 11 课　　说说迷信

预 习

这一课谈的是有关迷信的话题，请你预习课文，并做下面的练习。

1 从课文的生词表里找出符合下面要求的词语，并回忆一下以前学过的相类的词语：

	本课	以前学过相关词语
和宗教有关系的词语		
和迷信有关系的词语		

2 课文中提到了哪些迷信？这些迷信形成的原因是什么？

	例如／比方说	原因
体育界的迷信	a) b)	
戏剧界的迷信	a) b)	
有关数字的迷信	a) b) c) d)	
日常生活中的迷信	a) b)	

课 文

说说迷信

　　你隔多久就要算一次命，求一次签？如果瞎子的拐杖敲在你的小腿上，如果你的右眼不停地跳，如果乌鸦对着你叫了一声"哇"，你是不是就认为撞到了晦气？别担心，像你这样的人，古今中外多得很。

　　有一位人类学家认为，任何一种文化中都少不了迷信。可是到底有多少种迷信呢？德国有一部迷信大全，厚达十多册。中国古代也有220页厚的历书，不相信吉凶之说的人认为里面所讲的全是迷信。

　　体育界讲不出道理的迷信极多。例如，赛马骑师认为，在出发前马鞭失手落地是凶兆。西方的运动员在比赛前普遍吐一口唾液，来讨吉祥。

　　戏剧界的迷信也很多。比方说，很多演员相信，在化妆室里吹口哨是不吉利的。**另外**，每次演关公戏，扮演关公角色的演员一定要在后台烧香，否则就会出乱子。据说有一次没有照做，关公就在戏台上显灵，结果戏台上莫名其妙地失了火，很多道具被烧毁。有了这次教训，很多剧团**宁可**在演出前恭恭敬敬地给关公上香。

　　有关数字的迷信普天下都有，西方最富迷信色彩的数字是13。现在很多旅馆和办公大厦没有第13层楼，有些航空公司没有第13号班机，甚至没有第13排座位，12号之后，是12号半，下面就是14号。13之所以不祥，据说和基督教有一定的关系。在最后的晚餐上，犹大因为出卖耶稣而迟到，成为餐桌上的第13个人。

　　如果13号**偏偏**又碰上星期五，那就更加不祥了。星期五之所以成为凶

日，也跟基督教《圣经》的记载有关。据说夏娃偷吃苹果是在星期五，她和亚当被上帝赶出伊甸园正是在那一天，不但如此，耶稣被钉在十字架上也是在星期五。不过，自从 1937 年以来，90 次重大空难当中，只有 14 次发生在星期五，而没有一次是在 13 号。

在中国，4 因为和"死"谐音，也成为人们所忌讳的数字，尤其是在医院，很多人不愿意住在 4 号病房或者是 14 号病房里。相反，8 和 9 在中国则是大吉大利的数字。8 在广东话里和"发"同音，因此有了发财的意思，而 9 则因为和"久"同音，也带上了"天长地久"的光环。但是在很多不信这一套的人看来，这都是迷信。

许多西方人不肯从梯子下面走过，理由也很充分，也许梯子上正站着一位油漆工，当你走过时，说不定一罐油漆会正好倒在你头上，**再说**，油漆工的刷子上也会滴下油漆来。不过这件事情之所以不吉利，据说是因为梯子靠着墙，形成三角。早期基督徒把三角看成是永恒的象征，因此从三角下面走过，就成了侵犯圣境，**难免**会自讨苦吃。

古代的中国人认为，在女人晾着的衣服下面走过，一定会倒霉，如果是儿童，就长不高，所以假若妇女把衣服晾在行人经过的上空，就意味着她没有家教。

有人相信，左眼皮跳有财，右眼皮跳有灾；有人相信，打喷嚏是有人在背后提到他，说他的坏话，而耳朵发热，则是有人在惦记自己；如果你晚上梦见蛇、梦见水，那是发财的预兆，而如果你居然梦见掉了一颗牙齿，那就糟了，因为很可能你的一位亲人要去世！

总之，我们差不多天天都会有迷信的思想和行动。"筷"子"落"地——总有"快乐"吧？乌鸦叫了一声"哇"，别有什么倒霉的事儿吧！正如一位社会学家所说，迷信很难破除，未来的事难以预料，有时候迷信可以给人们一点儿安慰，迷信的作用也就在这里，不可太当真。

（作者黄晓天，根据教材需要有改动。）

生 词

1 **迷信** 名词、动词
mí xìn
盲目的信仰崇拜
superstition; blindly worship;
make a fetish of

★ 世界上很多民族都有一些说
不出道理的迷信。

★ 他这个人特别迷信，听到乌
鸦叫，就觉得要有麻烦。

★ 你不要太迷信高科技。

2 **求签**
qiú qiān
在神佛面前抽签来占卜吉凶
draw lots before idols; pray and
draw divination sticks at temple

★ 他常常到庙里去求签。

3 **瞎子** 动词
xiāzi
对盲人不礼貌的称呼
a blind person

4 **乌鸦** 名词
wūyā
一种鸟，嘴大而直，全身黑色羽毛
crow

★ 在中国，人们把乌鸦看成是
不吉利的象征。

★ 什么？你说我们队要输？你
真是乌鸦嘴！

5 **撞** 动词
zhuàng
碰
run into; bump into

★ 昨天我一出校门就撞上了小王。

★ 屋子里太黑，他不小心撞到
了椅子上。

6 **晦气** 名词、形容词
huì qì
坏运气；倒霉
unlucky

★ 撞上了晦气

★ 真晦气！一出远门就下雨。

7 **人类学**
rénlèixué
研究人类历史、现状、发展及人
种分类等的科学
anthropology

8 **吉凶**
jíxiōng
指未来的好运气和坏运气
good or ill luck

★ 老板这次找我谈，不知道是
吉是凶。

9 赛马
sài mǎ

一种比赛骑马速度的运动项目

horse racing

★ 他很喜欢看赛马。

10 马鞭
mǎbiān

名词

赶马用的东西,多用皮条编成

horsewhip

11 失手
shī shǒu

指手不小心,造成不好的后果

accidentally drop

★ 昨天我失手打碎了一个
茶杯。

12 凶兆
xiōngzhào

动词

不好的预兆

bad omen

★ 他们把乌鸦叫看做是一
种凶兆。

13 唾液
tuòyè

名词

[书面语]口水

saliva

14 讨
tǎo

动词

向别人要某种东西

ask for

★ 讨债　讨吉利

15 吉祥
jíxiāng

形容词

吉利;幸运

lucky; auspicious

★ 祝你们新的一年吉祥如
意!

16 戏剧界
xìjùjiè

戏剧领域

niche for actors

17 化妆
huàzhuāng

动词

用化妆品修饰容貌

to make up

★ 出去吃饭以前,我得先
化一下妆。

18 吹口哨
chuī kǒushào

whistle

★ 你怎么上课的时候吹起
口哨来了?

19 扮演 （动词）
bànyǎn
演员装扮成戏中某一角色演出
act; play a role; play the part of

★ 他在这部新戏里扮演一个 16 岁的小姑娘。
★ 剧中的女主角由王莉扮演。
★ 这家企业在整个计算机行业扮演着非常重要的角色。

20 烧香
shāo xiāng
拜神佛时点着香插在香炉中
burn incense sticks (before an idol)

★ 你呀，平时不努力，到考试前才开夜车，真是平时不烧香，急时抱佛脚。

21 出乱子
chū luànzi
引起麻烦
go wrong; make trouble

★ 你们这样搞下去，非出乱子不可！

22 显灵
xiǎn líng
神的短暂显现
theophany; to make its presence or power felt

★ 你相信神显灵的说法吗？

23 *宁可 （副词）
nìngkě
表示在权衡两方面的利害得失后，选择其中的一面
would rather; better

★ 我宁可住得远一些，也不想住在这么吵的地方。

24 恭敬 （形容词）
gōngjìng
对人非常尊重
revere; regard with deep respect

★ 孩子恭恭敬敬地给爷爷鞠了个躬。

25 普天下
pǔ tiānxià
整个世界
universally

★ 普天下的父母都一样疼爱孩子，所以中国有句话叫"可怜天下父母心"。

26 大厦 （名词）
dàshà
高大的房子
mansion; large building

★ 我的办公室在京华大厦 6 层。

27 不祥 （形容词）
bùxiáng
不吉利
hoodoo; unlucky

★ 听了他的话，我突然有一种不祥的预感。

28 基督教　名词
Jīdūjiào

世界上主要的宗教之一
Christianity; the Christian faith

★ 他信仰基督教。

29 出卖　动词
chūmài

为了自己的利益,背叛自己的亲
人或朋友等
betray

30 *偏偏　副词
piānpiān

正好出现非常不希望出现的情况
unfortunately it happened that...

★ 我急着去他家找他,偏偏
他刚出去。

31 碰　动词
pèng

偶然相遇
run into

★ 昨天我在街上碰上小王了。

32 圣经　名词
Shèngjīng

基督教的经典
the Bible

33 钉　动词
dìng

用钉将东西固定住
nail; stick

★ 他把画儿钉在了墙上。

34 十字架　名词
shízìjià

十字形的木架,是罗马帝国时期
的一种刑具
cross

35 空难　名词
kōngnàn

指飞机等在飞行中发生故障、遭
遇自然灾害或其他意外事故所
造成的灾难
air disaster

★ 昨天又发生了一起空难。

36 谐音　动词
xiéyīn

字或词读音相同或相近而写法
不同
homonyms or homonymic

★ 在汉语里,四和"死"谐
音,所以很多人不喜欢这
个普通的数字。

37 忌讳 jìhuì （动词、名词）

因风俗习惯等原因而避免使用某些不吉利的语言或举动

resent avoid as harmful; taboo

★ 过春节时，人们忌讳说"死"等不吉利的字。

★ 他个子很矮，你刚才讲的那个笑话犯了他的忌讳。

38 大吉大利 dàjí dàlì （俗语）

万事都顺利,常用作吉祥的话

unusually lucky

★ 祝你来年大吉大利！

39 天长地久 tiānchángdìjiǔ （成语）

情感、友谊等与天地共存

as long as the world last; everlasting and unchanging

★ 祝我们的友谊天长地久！

40 光环 guānghuán （名词）

环绕在某些物体周围的明亮的环状物

halo

★ 带上……的光环

41 套 tào （量词）

用于已成固定格式的办法、习惯或语言

a set of

★ 一套客气话　一套大道理

★ 一套好办法

42 梯子 tīzi （名词）

ladder

★ 他爬着梯子上了房顶。

43 油漆 yóuqī （名词）

paint

★ 他买了一罐油漆，要油一下儿书架。

44 罐 guàn （名词）

jar; pot; tin

45 滴 dī （动词）

液体一点一点落下来

drip

★ 血从她的手指上滴下来。

46 基督徒
Jīdūtú
名词
信仰基督教的人
Christian

★ 他的父亲是一个虔诚的基督徒，而他则信仰佛教。

47 象征
xiàngzhēng
名词、动词
用一个事物来表现另一个事物
symbolize; symbol

★ 长城象征着中国。
★ 长城是中国的象征。

48 侵犯
qīnfàn
动词
进犯
intrude into;invade

★ 这个国家常常侵犯邻国。
★ 你们这样做，侵犯了别国的领土／领空／领海／主权。

49 *难免
nánmiǎn
形容词
不容易避免
hard to avoid; ineluctable; be pretty sure to

★ 他年纪还小，难免有点儿幼稚。

50 自讨苦吃
zìtǎokǔchī
成语
自己找麻烦
ask for trouble

★ 她这个人别人的意见根本听不进去，你去劝她，会自讨苦吃的。

51 晾
liàng
动词
把东西放在空气中或太阳下使干燥
dry in the sun; drip-dry; dry by airing; dry in the shade

★ 你去把这几件衣服晾起来。

52 倒霉
dǎo méi
形容词
运气不好
have bad luck

★ 真倒霉！排了半天队，票又卖完了。

53 家教
jiājiào
名词
家长对子女的教育
family education; family training

★ 他们家家教很严。
★ 这个人真没有家教。

54 灾
zāi
名词
由水、火等引起的非常大的麻烦
disaster

★ 水灾　火灾

191

55 惦记 *动 词*
diànjì

经常记在心里，总是想着
keep thinking about; think of

★ 妈妈老惦记着在国外留学的孩子。

56 预兆 *名 词*
yùzhào

事情发生前所显示出来的迹象
presage;omen

★ 蚂蚁搬家是下雨的预兆。

57 破除 *动 词*
pòchú

除去
do away with

★ 你应该破除这种迷信思想。

58 当真 *动 词*
dàngzhēn

以为是真的
take seriously; accept as true

★ 我只是开个玩笑，你可不要当真啊！

专 名

1. 关公　　　　　　　Guāngōng　　　　名关羽，中国古代一位讲义气的英雄，后被神化。

2. 犹大 (Judas)　　　Yóudà　　　　　　耶稣的门徒之一，曾为三十块银币而出卖耶稣。

3. 耶稣 (Jesus)　　　Yēsū　　　　　　基督教所信奉的救世主。

4. 夏娃 (Eve)　　　　Xiàwá　　　　　基督教《圣经》中人类的女始祖，亚当的妻子。

5. 亚当 (Adam)　　　Yàdāng　　　　基督教《圣经》中人类的始祖。

6. 伊甸园 (Garden of Eden)　　Yīdiànyuán　　基督教圣经中人类祖先居住的乐园。

词语练习

一、请你根据拼音写出汉字，然后把它们填在合适的句子里：

> míxìn　　　zhuàng　　　huìqì
> shīshǒu　　sàimǎ

1.在社会学家看来，(　　　　　)有时候可以给人一种安慰。

2.在香港，(　　　　　)是一项很流行的活动。

3.听说东京有很多乌鸦，日本人不觉得这很(　　　　　)吗?

4.全世界的人都在电视上看到了飞机(　　　　　)向大楼的情景。

5.对不起，那个漂亮的花瓶被我(　　　　　)打了。

> tǎo　　　　jíxiáng　　　xiōngzhào
> huàzhuāng　bànyǎn

6.外婆说，打碎镜子是一种(　　　　　)。

7.在中国人看来，红色意味着(　　　　　)。

8.这只小猫真(　　　　　)人喜欢。

9.姐姐正在楼上(　　　　　)呢，你等一下儿。

10.在今天的世界舞台上，这个超级大国(　　　　　)着非常重要的
   角色。

> shāoxiāng　　chūluǎnzi　　gōngjìng
> pǔtiānxià　　Jīdūjiào

11.明天就要考试，你今天才准备，真是平时不(　　　　　)，急时抱
   佛脚。

12.(　　　　　)的父母哪有不疼爱孩子的?

13.你可别大意，否则一定会(　　　　　)的。

14.听说他信(　　　　　)，所以每个星期天都去教堂做礼拜。

15.祭祀祖先时，态度一定要(　　　　　)。

> pēng   xiéyīn   jìhuì
> dǎjídǎlì   xiàngzhēng

16.今天我在校门口(　　　　)上了赵老师。

17.他叫窦机,因为这个名字和"斗鸡"(　　　　　),常常闹笑话。

18.大年初一,人们常常喜欢说一些(　　　　)的话。

19.在乡下,人们(　　　　)说"死""去世"之类的话,如果一个老人去世,人们常说他"老了"。

20.在我看来,黄河是中国的(　　　　)。

> qīnfàn   zìtǎokǔchī   dǎoméi
> diànjì   pòchú

21.真(　　　　),一大早起来就发现汽车被偷了。

22.不是你自己的事情,你为什么要去管,真是(　　　　)!

23.最近邻国的飞机又来(　　　　)我国的领空。

24.你在国外留学的时候,妈妈天天(　　　　)着你。

25.依我看,迷信这种东西很难(　　　　)。

二、请你在下面的句子中填上合适的动词,然后用这个动词造句:

  1.他开车时不小心(　　　　)到了电线杆上。(单音节动词)

  2.我在门口(　　　　)上了一个老同学。(单音节动词)

  3.在国外工作时,他常常(　　　　)家里。(双音节动词)

  4.他很(　　　　)别人提起他过去的事情。(双音节动词)

  5.这个国家常常批评别国政府(　　　　)人权。(双音节动词)

三、请你根据前面的提示写出一个课文中学过的词语,然后用这个词语造一个句子:

  1.非常吉祥(　　　　)

  2.情感、友谊等与天地共存(　　　　)

  3.自己找麻烦(　　　　)

四、请你查字典，看看下面词语和其中的黑体字是什么意思，然后再写出两
　　个由这个黑体字组成的词语：

预兆　　预防　　_____　　_____
吉祥　　吉凶　　_____　　_____
预兆　　兆头　　_____　　_____
侵犯　　侵略　　_____　　_____
戏剧界　体育界　_____　　_____

语言点

一、另外

◎ 比方说，很多演员相信，在化妆室里吹口哨是不吉利的。**另外**，每次演关公戏，扮演关公角色的演员一定要在后台烧香，否则就会出乱子。

▲说明：这里的"另外"是连词，用来连接相互有关系的句子或段落，有补充或转换到另一个相关话题的作用。例如：

1. 今天的作业就是这些。另外，请大家不要忘记明天有听写。
2. 我之所以吃素，是因为吃素有利于身体健康。另外，就环保而言，吃素也是很有意义的举动。
3. 吃肉给身体带来很多隐患。因为肉食者的血液是酸性的……。不但如此，肉食吃多了，血管会失去弹性……。另外，动物在被宰杀时，体内会分泌很多毒素……。

二、宁可

◎ 有了这次教训，很多剧团**宁可**在演出前恭恭敬敬地给关公上香。

▲说明："宁可"是副词，表示比较两种不太理想的情况后，选择其中较好的一面，常用以下三种句型：

a) 与其……宁可……
b) 宁可……也不……
c) 宁可……也要……
例如：

1. 与其得肺病，我宁可戒烟。
2. 我宁可没有朋友，也不和这种人打交道。
3. 我宁可一晚上不睡觉，也要把这篇文章写完。

三、偏偏

◎ 如果13号**偏偏**又碰上星期五，那就更加不祥了。

▲说明："偏偏"是副词，表示正好出现一种非常不希望出现的情况。"偏

196

偏"可以用在主语前。例如：

1.我请他吃四川菜，没想到偏偏他不能吃辣的。

2.这么倒霉的事情偏偏让我碰上了。

3.我正要开始写作业，偏偏停电了。

四、再说

◎　许多西方人不肯从梯子下面走过，理由也很充分，也许梯子上正站着一位油漆工，当你走过时，说不定一罐油漆会正好倒在你头上，**再说**，油漆工的刷子上也会滴下油漆来。

▲说明：这里的"再说"是连词，连接前一分句，补充说明另一个理由或原因。例如：

1.时间不早了，再说你身体也不舒服，早点休息吧。

2.去年夏天不太热，再说我的房间在阴面，所以我没有买空调。

五、……，难免……

◎　因此从三角下面走过，就成了侵犯圣境，**难免**会自讨苦吃。

▲说明："难免"是形容词，表示因为前面所说的原因，后面的消极的结果是不能避免的。例如：

1.他刚来中国，难免不了解这里的情况。

2.他没有工作经验，难免犯错误。

语言点练习

一、用所给词语完成对话或句子：

1. A：西方人为什么认为 13 不吉利？

   B：_____。（另外）

2. A：你觉得中国人有什么特点？

   B：_____。（另外）

3. 20 世纪给我们留下了哪些遗产？

   B：_____。（另外）

4. 与其住在这么吵的地方，_____。（宁可）

5. 与其在这里堵车，_____。（宁可）

6. _____，也要完成那篇文章。（宁可）

7. _____，也不要和他结婚。（宁可）

8. A：你怎么这么沮丧？

   B：_____。（偏偏）

9. A：你昨天怎么没有买到那本词典？

   B：_____。（偏偏）

10. A：你为什么要住在郊区？

    B：_____。（再说）

11. A：你为什么要吃素？

    B：_____。（再说）

12. A：妈妈为什么一整天都闷闷不乐的？

    B：_____。（难免）

13. A：他的作文里怎么有这么多语法错误？

    B：_____。（难免）

二、请你用本课重要的语言点造句：

                                ★ 另外

  ★ 与其……宁可……   ★ 偏偏

  ★ 宁可……也要……   ★ 再说

  ★ 宁可……也不……   ★ 难免

综合练习

一、 请你在下面的句子里填上合适的动词补语，然后对照课文，看填得是否正确：

1. 如果乌鸦对着你叫了一声"哇"，你是不是就认为撞（　　）了晦气？

2. 有一位人类学家认为，任何一种文化中都少不（　　）迷信。

3. 体育界讲不（　　）道理的迷信极多。

4. 如果 13 号偏偏又碰（　　）星期五，那就更加不祥了。

5. 她和亚当被上帝赶（　　）伊甸园正是在那一天。

6. 9 因为和"久"同音，也带（　　）了"天长地久"的光环。

7. 许多西方人不肯从梯子下面走（　　），理由也很充分。

8. 再说，油漆工的刷子上也会滴（　　）油漆（　　）。

9. 有人相信，打喷嚏是有人在背后提（　　）他，说他的坏话。

10. 如果你晚上梦（　　）蛇，那是发财的预兆。

二、 请你先读下面这段课文，然后根据后面的提示，完成练习。

　　　　体育界讲不出道理的迷信极多。例如，a)赛马骑师认为，在出发前马鞭失手落地是凶兆。b)西方的运动员在比赛前普遍吐一口唾液，来讨吉祥。

　　　　戏剧界的迷信也很多。比方说，a)很多演员相信，在化妆室里吹口哨是不吉利的。b)另外，每次演关公戏，扮演关公角色的演员一定要在后台烧香，否则就会出乱子。据说有一次没有照做，关公就在戏台上显灵，结果戏台上莫名其妙地失火，很多道具被烧毁。有了这次教训，很多剧团宁可在演出前恭恭敬敬地给关公上香。

　　　　*在这两段课文中，划线的第一句话是主题，a、b是说明主题的例子，黑体字是连接词。请你仿照这两段课文的结构，用下面的一句话作主题，写一段 400—450 字左右的短文。

　　　　★ 日常生活中的迷信很多

199

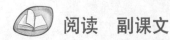

阅读　副课文

12是个什么样的数字

　　数字12是13的"弟弟"。"哥哥"13的名声有点不好，被西方人看作是一个不吉利的数字，连出远门、会客、门牌号码等等都尽可能避开13这个数字。12的命运比13要好得多，人类自有能力数数以来，就一直相信某些数字拥有控制命运的神力，12就是其中一个既重要又<u>神秘</u>(shénmì)的数字。

神秘：难以了解其中的秘密

　　不知道你发现没有，在人们的日常生活中，12这个数字随处可见。钟表上有12个小时，一年有12个月。除此之外，中国人还有12<u>生肖</u>(shēngxiào)，鼠、牛、虎、兔、龙、蛇、马、羊、猴、鸡、狗、猪，12年正好一个<u>轮回</u>(lúnhuí)。

生肖：中国用来记人出生年的十二种动物

轮回：重新来一次

　　在<u>希腊</u>(Xīlà)神话中，幸运之神绕太阳一周需要12年，于是有人就把12看成是幸运的数字，因为他们相信，每隔12年，幸运之神就会给他们带来好运气。

希腊：Greece

　　希腊历史学家研究发现，古希腊人在<u>小亚细亚</u>(Xiǎo Yàxìyà)建造了12座城池之后，就再也不肯建了，因为他们认为，12这个数字是神圣的，不可超越的。

小亚细亚：Asia Minor

　　同样，在《圣经》中12这个数字也频繁出现：耶稣有12个弟子，他用12个面包救助了很多饥饿的人，神圣的<u>耶路撒冷</u>(Yēlùsālěng)有12扇大门，它们建在12块基石上，上面刻有12个信徒的12个名字，在耶路撒冷，每次朝拜耶稣的人数只容许12×12＝144人。

耶路撒冷：Jerusalem

12这个数字受到如此的<u>青睐</u>(qīnglài)，被看作是吉利的数字，难道只是因为人们的迷信心理？还是其中有更深的奥秘？到今天，人们也无法确切回答这个问题。

青睐: 特别喜爱

1953 年，曾经有位科学家提出一个听起来有点奇怪的理论，他认为数字 12 与地球之间存在一种奇妙的关系，人类可以利用这个关系来调整宇宙中各个星球的位置、距离，从而使它们的布局更为合理。这种观点听起来似乎有点儿<u>荒诞</u>(huāngdàn)，但却很浪漫，而且说不定经过多少年后还可能变为现实。

荒诞: 非常奇怪，非常可笑

（作者乾元，根据教材需要有改动。）

讨论题

1. 作者认为 12 是个什么样的数字？
2. 文章中举了哪些方面的例子来说明 12 这个数字的不平常？
3. 在你的国家里有吉利的数字和不吉利的数字吗？
4. 你对迷信怎么看？

第12课　三十年河东，三十年河西

预习

请你预习课文，并试着回答下面的问题：

1 这篇课文的主题是什么？ ➡️

A. 21世纪东方文化将占主导

B. 东方和西方文化之间的差异

C. 由西方文化而产生出的弊端

D. 中医和西医治疗方法的不同

2 根据课文内容填空，看看课文的生词表里，有没有你需要的词语：

① 作者认为，西方文化的源头是 _____ 文化，而 _____ 文化、_____ 文化和 _____ 文化构成了东方文化。

② 西方文化从 _____ 以来，已经 _____ 了几百年，在整个20世纪占 _____ 地位。

③ 但是，目前世界上出现了种种弊端，如生态平衡 _____ 、全球气温 _____ 、淡水资源 _____ 、森林被 _____ 、江河湖海 _____ 、动植物种 _____ 以及新疾病 _____ 。在作者看来，这些弊端都和 _____ 有一定的关系。

④ 作者认为，东西方文化的不同在于其 _____ 的差异。东方的思维模式是 _____ 的，而西方的思维模式则是 _____ 的。因此，在社会发展上，东方哲学主张 _____ ，而西方哲学则提倡 _____ 。对大自然穷追猛打，会产生很多 _____ 。

⑤ 在作者看来，要解决这些弊端，只靠 _____ 是不够的，必须要有一个指导思想，那就是东方 "_____" 的思想。

⑥ 因此，作者认为 "_____ ，_____"，他认为在21世纪，_____ 文化将占主导地位。

三十年河东，三十年河西

从宏观上来看，希腊文化延续发展为西方文化，欧美都属于西方文化的范畴，而中国文化、印度文化、阿拉伯伊斯兰文化构成了东方文化。东方文化和西方文化这两大文化体系之间是互相学习的，但是在一个相当长的时间内，可能有一方占主导地位。从目前情况来看，占主导地位的是西方文化，但从历史上来看，东方文化和西方文化二者的关系是"三十年河东，三十年河西"。因为文化的发展不是一成不变的，每一种文化都有一个诞生、成长、兴盛、衰落的过程。东方文化到了衰落的阶段，西方文化就会代之而起；而当西方文化面临危机时，代之而起的必是东方文化。

西方文化从文艺复兴以来，已经兴盛了几百年，把世界生产力提高到了空前的水平，但它同世界上所有的文化一样，也决不是永世长存的，**迟早**也会衰落。20世纪20年代前后，西方的有些学者已经看出这种衰落的端倪，预言当时如日中天的西方文化也会没落。事实上，在今天，西方文化已逐渐呈现出强弩之末的样子。具体表现是以西方文化为主导的世界，出现了很多威胁人类生存的弊端，比如生态平衡遭到破坏、全球气温变暖、淡水资源匮乏、森林被过度砍伐、江河湖海受到污染、动植物种不断灭绝、新疾病频繁出现等等，所有这些都威胁着人类的发展甚至生存。

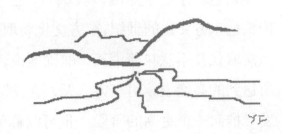

西方文化产生这些弊端的原因，**在于**其基本思维模式。简而言之，我认为，东方的思维模式是综

合的，它照顾到了事物的整体，有全局观念，中国"天人合一"的思想是典型的东方思想。而西方的思维模式则是分析的，它抓住一个东西，特别是物质的东西，不断地分析下去，分析到极其细微的程度，可是往往忽视了整体联系。比方说，在医学上，西医是头痛医头，脚痛医脚，完全把人体分割开来，用一个成语来说就是，只见树木，不见森林。而中医则往往是头痛治脚，脚痛治头，把人体当做一个整体来看待，既见树木，又见森林。二者的差异，显而易见。不仅在医学上，这个区别表现在各个方面。再比如，在社会发展上，东方哲学主张"天人合一"，西方则提倡征服自然。对大自然穷追猛打，从表面上来看，在一段时间内可能是成功的，大自然被迫满足了人类物质生活的需求，日子越过越红火，但是久而久之，却产生了以上种种危及人类生存的弊端。

有的学者认为要解决这些弊端，比如环境污染，只有发展科学，发展技术，发展经济。我不同意这种看法。为了保护环境不能抑制科学、技术和经济的发展，但是处理这个问题时，脑子里必须先有一个指导思想，那就是东方"天人合一"的思想。从发展的最初一刻起，就应当在这种指导思想下进行，牢记过去惨痛的教训，千方百计，尽最大的努力，**对弊害加以抑制**，决不能只是高喊"发展！发展！发展！"梦想有一天科学会自己找到办法，来解决发展所带来的弊端。**否则**，恐怕迟早有一天，我们会发现，这些弊端已经无法控制。这样一来，我们人类的前途就危险了。

正是由于这个原因，我认为"三十年河东，三十年河西"，21 世纪应该是东方文化的世纪，东方文化将取代西方文化在世界上占主导地位。当然取代并不意味着消灭，准确地说，应该是在过去几百年来西方文化所达到的高度上，用东方"天人合一"的综合思维方式，把人类文化的发展推向一个更高的阶段，也可以称为"东西文化互补论"。

（作者季羡林，根据教材需要有改动。）

生　词

1 三十年河东，三十年河西 　俗　语
sānshí nián hédōng,
sānshí nián héxī
指优势地位随时间条件而转换

★ 上次和哲学系的足球比赛，我们队实力弱，输得很惨。可是三十年河东，三十年河西，这次我们的实力提高了，轻松地战胜了他们。

2 宏观 　名　词
hóngguān
大的方面
macroscopic

★ 宏观经济　宏观调控
反义词：微观

3 范畴 　名　词
fànchóu
领域，范围
category; domain

★ "资本"这一概念属于经济学范畴。

4 体系 　名　词
tǐxì
一些事物互相关联而构成的整体
system; setup

★ 工业体系　经济体系　思想体系

5 主导 　形容词、动词
zhǔdǎo
领导全局，非常重要
leading; dominant; guiding

★ 起主导作用　占主导地位
★ 这个组织由几个大国主导。

6 一成不变 　成　语
yìchéngbúbiàn
一经形成，不再变更
invariable; changeless

★ 世界上没有一成不变的事物。

7 诞生 　动　词
dànshēng
指人出生或新事物出现
be born; come into being

★ 这位伟人诞生于1840年。
★ 一个新的时代诞生了。

8 兴盛 　形容词
xīngshèng
经济、文化等事物在最良好的状态
prosperous; thriving

★ 目前这个地区的文化非常兴盛。
★ 通过改革，这个国家的国力兴盛起来。

9 衰落 动词
shuāiluò
由兴盛下滑；由强大转为弱小
decline; be on the wane

★ 11世纪初期，这个国家的国力/文化开始衰落下去。

10 代之而起
dàizhī'érqǐ
一事物取代另一事物
take sb.'s place

11 面临 动词
miànlín
面对
be faced with; be confronted with

★ 目前这家企业正面临着即将破产的困境/危险/严峻形势。

★ 新世纪，人类将面临新的挑战。

12 文艺复兴
wényì fùxīng
14至16世纪欧洲的主要文化思潮
the Renaissance

★ 文艺复兴时期

13 生产力 名词
shēngchǎnlì
人利用工具改造自然的能力
productive forces; productive ability

★ 他们采取各种措施来提高/发展生产力。

14 空前 形容词
kōngqián
以前没有过的（程度）
unprecedented; unparalleled; unheard-of; unexampled

★ 今年农业获得了空前的丰收。

15 永世长存 成语
yǒng shì cháng cún
永远存在
everlasting; permanent

16 端倪 名词
duānní
事情的头绪迹象
clue; inkling

★ 作者认为，20世纪初期，西方文化就已经露出了衰落的端倪。

17 预言 动词
yùyán
事情还没有发生而预先说出将要发生的状况
prophesy; predict; foretell

★ 那位科学家大胆地预言，再过20年，世界很多著名的海滨城市将被海水淹没。

18 如日中天
rúrì zhōngtiān
成语
像正午的太阳。比喻事物正在
兴盛的时候
like the sun at high noon;at the
apex of one's power

★ 目前，这个国家的国力正
如日中天。

19 没落
mòluò
动词
完全衰落
decay

★ 这种灿烂的古文明已经没
落了。

20 呈现
chéngxiàn
动词
展示出……的面貌
to show; to display (certain
appearance)

★ 这些西南少数民族文化呈
现出迷人的色彩。

21 强弩之末
qiāng nǔ zhī mò
成语
强劲的弓所发的箭已达射程的
尽头。比喻强大的力量已经快
要用尽，不再有力量了
an arrow at the end of its flight-
spent force

★ 上半场比赛他们跑动太多，
下半场就成了强弩之末。

22 威胁
wēixié
动词
使……面临危险
threaten; endanger

★ 由于火势很难控制，森林
受到了严重的威胁。
★ 洪水给周围地区造成了严
重的威胁。

23 弊端
bìduān
名词
坏处
drawback; bad points; disadvan-
tages

★ 这种企业制度存在着严重
的弊端。

24 生态平衡
shēngtài pínghéng
指自然环境下生存和发展的平
衡状态
the balance of nature

★ 保持生态平衡　破坏生态
平衡。

25 淡水
dànshuǐ
几乎不含盐的水
freshwater

★ 这个国家淡水资源非常
匮乏。

26　匮乏　*形容词*
kuìfá
缺乏（物资之类）
be short of money or supplies

★ 能源匮乏　资源匮乏
★ 资金匮乏　物资匮乏

27　砍伐　*动词*
kǎnfá
用锯、斧等把树锯下来或弄倒
fell (trees)

★ 这个地区禁止砍伐树木。

28　物种　*名词*
wùzhǒng
生物分类的基本单位
species

29　灭绝　*动词*
mièjué
彻底消灭
extinct

★ 由于环境遭到破坏，很多物
种已经灭绝了。

30　频繁　*形容词*
pínfán
间隔短暂的；(次数) 多的
frequent

★ 他们的交往很频繁。
★ 你为什么这么频繁地换工作?

31　模式　*名词*
móshì
事物发展的标准样式
pattern; design

★ 我认为这种西方的民主模式
不适合中国国情。

32　简而言之
jiǎn'éryánzhī
简单地说
in one word

★ 简而言之,道家提倡"无为"。

33　全局　*名词*
quánjú
整个局面
overall situation

★ 照顾全局　影响全局

34　天人合一　*成语*
tiānrénhéyī
人类与大自然结合成一个统
一体
human and nature combined to
a whole

★ 中国文化在很多方面都提倡
天人合一。

35 典型
diǎnxíng
（形容词、名词）
充分显现出其个性特征的；
具有代表性的人或事物
typical; model

★ 作者认为，"天人合一"的思想是典型的东方文化。

★ 这家公司是靠高科技取得成功的典型。

36 物质
wùzhì
（名词）
指金钱、生活资料等
material

★ 物质奖励

37 极其
jíqí
（副词）
非常
very; extremely

★ 极其关心 极其麻烦

38 细微
xìwēi
（形容词）
非常细小的
subtle; fine; tiny

★ 细微的区别 细微的差异

39 忽视
hūshì
（动词）
不重视
neglect;ignore

★ 他因为工作忙而忽视了家庭。

40 头痛医头，脚痛医脚
tóutòng yītóu, jiǎotòng yījiǎo
（成语）
比喻出了问题临时应付，不想根本解决的办法
adopt sporadic and piece-meal steps as the physician who treats the head when the head aches,and treat the foot when the foot hurts

★ 出了问题一定要找到根源，不能头痛医头，脚痛医脚。

41 只见树木，不见森林
zhǐjiàn shùmù, bùjiàn sēnlín
（成语）
比喻只看到个别的事物，看不到整体
fail to see the wood for the trees; do not see the unole picture

42 差异
chāyì
（名词）
区别，不同
difference;divergence;diversity

★ 东西文化之间存在着巨大的差异。

43 显而易见
xiǎn'éryìjiàn
（成语）
指事情或道理很明显,很容易看出来
obviously; evidently; clearly

★ 显而易见,这是你的错。

209

44 主张 动词、名词
zhǔzhāng

对某种行动提出见解
maintain; stand for; a view; a stand

★ 我们主张和平解决国际纠纷。
★ 这是我们一贯的主张。

45 提倡 动词
tíchàng

由于事物有好的因素而建议
advocate; call for; to promote

★ 这个环保组织提倡骑自行车。

46 征服 动词
zhēngfú

施加影响或运用力量、手段使对方服从或佩服
to conquer; to subdue; to subject; to make a conquest of

★ 征服大自然　征服观众

47 穷追猛打 成语
qióngzhuīměngdǎ

不断地追打，不让对方休息
go in hot pursuit

★ 既然他已经认错了，你就不要对他穷追猛打了。

48 红火 形容词
hónghuo

[口语]生活很富裕，经济很繁荣
prosperous

★ 他们的日子过得很红火。

49 危及 动词
wēijí

威胁到
endanger

★ 城市改造正危及传统街区的保护。

50 抑制 动词
yìzhì

压制不让发展
restrain; repress

★ 政府正在采取措施抑制通货膨胀/经济的过快增长。

51 处理 动词
chǔlǐ

处置；安排；料理
handle; deal with; dispose of; manage; tackle

★ 你回国时，家具是怎么处理的？
★ 这个问题非常复杂，很不好处理。

52 惨痛 形容词
cǎntòng

严重而痛苦的
be bitter and paintful

★ 谁都不应该忘记两次世界大战给我们留下的惨痛的教训。

53　千方百计
成语
qiānfāngbǎijì
想尽一切办法
by every possible way

★ 他们正千方百计地占领市场。

54 *加以
动词
jiāyǐ
给以某种动作，书面语

★ 我们正在对这一问题加以解决/处理/研究。

55　消灭
动词
xiāomiè
除掉[敌对的或有害的]人或事物
annihilate; eliminate

★ 消灭敌人　消灭贫困

56　互补
动词
hūbǔ
补足或补充；互相补充
to help each other; to complement

★ 优势互补　性格互补

专　名

1.希腊(Greece)　　Xīlà　　南欧的国家
2.印度(India)　　Yìndù　　南亚的国家
3.阿拉伯(Arabia)　　Ālābó　　信奉伊斯兰教的一个民族
4.伊斯兰(Islamic)　　Yīsīlán　　一种宗教信仰

词语练习

一、请你根据拼音写出汉字，然后把它们填在合适的句子里：

> hóngguān　zhǔdǎo　dànshēng
> xīngshèng　shuāiluò

1.从（　　　）上看，世界文化可以分为东方文化和西方文化。

2.一般认为，唐朝是中国文化最（　　　）的时期。

3.历史学家正在分析这种灿烂的文明（　　　）的原因。

4.由于黄河流域（　　　）了中华文明，因此黄河被中国人称作"母亲河"。

5.20世纪西方文化占（　　　）地位。

> miǎnlín　wēixié　duānní
> yùyán　chéngxiàn

6.作者认为，工业革命结束后，东方文化露出了衰落的（　　　）。

7.进入21世纪之后，人类在很多方面都（　　　）新的挑战。

8.这位科学家大胆地（　　　），再过20年，很多世界著名的海滨城市将被海水淹没。

9.这些西南少数民族文化（　　　）出迷人的色彩。

10.目前，环境污染正（　　　）着人类的生存。

> bìduān　shēngtàipínghéng
> kuì fá　kǎnfá　mièjué　pínfán

11.这种家庭经济政策存在很多（　　　）。

12.由于能源（　　　），这个国家只能发展外向型经济。

13.很多物种（　　　）的问题提醒我们应该关注自身生存的环境。

14.森林被过度（　　　）会破坏（　　　）。

15.不少人由于缺乏对自身正确的认识，（　　　）地更换工作单位。

> diǎnxíng　　jíqí　　hūshì
> chāyì　　zhēngfú

16. 他性格很豪爽，是个(　　　　)的北方人。

17. 我对他这种做法(　　　　)反感。

18. 这种文化间的(　　　　)有时会发展为地区冲突。

19. 无论如何，你都不应该(　　　　)对孩子的教育。

20. 我们自以为(　　　　)了自然，其实自然都加倍地报复了我们。

二、请你在下面的形容词后填上合适的名词，并用这个组合造句：

红火的(　　　　)　　惨痛的(　　　　)　　兴盛的(　　　　)

细微的(　　　　)　　典型的(　　　　)

三、请你在下面的动词后填上合适的宾语，然后用这个搭配造一个句子：

提倡(　　　)　　征服(　　　)　　处理(　　　)

消灭(　　　)　　忽视(　　　)　　砍伐(　　　)

抑制(　　　)

四、请你根据下面的句子写出一个成语，然后用这个成语造一个句子：

1. 一经形成，不再变更。　　　　　　　　　　　　(　　　　)

2. 像正午的太阳，比喻事物正在兴旺的时候。　　　(　　　　)

3. 比喻强大的力量已经快要用尽，不再有力量了。(　　　　)

4. 简单地说。　　　　　　　　　　　　　　　　　(　　　　)

5. 比喻出了问题临时应付，不想根本解决的办法。(　　　　)

6. 比喻只看到个别的事物，看不到整体。　　　　　(　　　　)

7. 指事情或道理得明显，很容易看出来。　　　　　(　　　　)

8. 不断地追打，不让对方休息。　　　　　　　　　(　　　　)

9. 想尽一切办法。　　　　　　　　　　　　　　　(　　　　)

五、请你查字典，看看下面词语和其中的黑体字是什么意思，然后再写出两
个由这个黑体字组成的词语：

兴盛　　兴旺　　_____　_____

衰落　　衰老　　_____　_____

匮乏　　缺乏　　_____　_____

弊端　　作弊　　_____　_____

忽视　　重视　　_____　_____

语言点

一、从……来看

◎ 从宏观上**来看**，希腊文化延续发展为西方文化。

▲说明：这个结构表示从某方面来考虑，可以得出某种结论。例如：

1. 从目前情况来看，占主导地位的是西方文化，但从历史上来看，东方文化和西方文化二者的关系是"三十年河东，三十年河西"。
2. 从表面上来看，他们的关系很好，实际上却充满矛盾。

二、迟早

◎ 西方文化从文艺复兴以来，已经兴盛了几百年，…… 但它同世界上所有的文化一样，也决不是永世长存的，**迟早**也会衰落。

▲说明："迟早"，是副词，"或早或晚"的意思，表示随着前面说到的情况和条件的出现，必然产生后面的结果，常和"会"、"要"等词语连用。例如：

1. 交通问题虽然严重，但只要大家努力，迟早总会解决。
2. 中国人认为，骄傲的人迟早要出问题。

三、在于

◎ 西方文化产生这些弊端的原因，**在于**其基本思维模式。

▲说明："在于"，动词，说明事物的本质、关键、根源在什么地方。前面常常是名词性短语，后面为名词、动词或小句作宾语。例如：

1. 这种朋友的遗憾，在于趣味太窄。
2. 田径运动的魅力不在于记录，而在于它能充分展现出人的力量、意志和优美。
3. 中国目前最大的问题在于人口太多。

四、对……加以 + V

◎ 就应当在这种指导思想下进行，牢记过去惨痛的教训，千方百计，尽最大的努力，**对**弊害**加以**抑制，……

▲说明："加以"，用在双音节或多音节动词前，表示如何对待或处理前面所提到的事物，多用于书面正式语体。例如：

1. 学校决定，对考试作弊的学生要加以及时处理。

2. 他们对调查结果加以分析之后，发现了产生问题的原因。

五、否则

◎ 决不能只是高喊"发展！发展！发展！"梦想有一天科学会自己找到办法，来解决发展所带来的弊端。**否则**，恐怕迟早有一天，我们会发现，这些弊端已经无法控制。

▲说明："否则"，连词，意思是"如果不是这样"或"不然的话"，常和"就"连用，语气较为正式。例如：

1. 你应该大胆地开口讲话，否则就不能提高口语水平。

2. 他一定不是有意伤害你的，否则，你批评他的时候，他怎么会一脸茫然的表情呢？

语言点练习

一、用所给词语和要求完成对话或句子：

1. A：你认为目前中国社会存在哪些问题？

    B：＿＿＿＿＿＿＿＿＿＿＿＿＿＿＿＿＿＿＿＿。（从……来看）

2. A：你觉得东方文化和西方文化有什么差异？

    B：＿＿＿＿＿＿＿＿＿＿＿＿＿＿＿＿＿＿＿＿。（从……来看）

3. 如果你总是违反交通规则，＿＿＿＿＿＿＿＿＿＿＿＿。（迟早）

4. 整天疯狂地工作，而不注意锻炼，＿＿＿＿＿＿＿＿＿。（迟早）

5. A：你认为学好一门外语的关键是什么？

    B：＿＿＿＿＿＿＿＿＿＿＿＿＿＿＿＿＿＿＿＿。（在于）

6. A：你认为世界上战争的根源是什么？

    B：＿＿＿＿＿＿＿＿＿＿＿＿＿＿＿＿＿＿＿＿。（在于）

7. A：你认为中国人最大的特点是什么？

    B：＿＿＿＿＿＿＿＿＿＿＿＿＿＿＿＿＿＿＿＿。（在于）

8. 语言学家建议简化这种文字。→

    ＿＿＿＿＿＿＿＿＿＿＿＿＿＿＿＿＿＿。（对……加以 +V）

9. 学校要严肃处理考试作弊的学生。→

    ＿＿＿＿＿＿＿＿＿＿＿＿＿＿＿＿＿＿。（对……加以 +V）

10. 你应该在农村住一段时间，＿＿＿＿＿＿＿＿＿＿＿。（否则）

11. 除非你真正爱一个人，＿＿＿＿＿＿＿＿＿＿＿＿＿。（否则）

二、请你用本课重要的语言点造句：

★ 从……来看

★ 迟早

★ 在于

★ 对……加以 +V

★ 否则

综合练习

一、请你选择合适的介词填空，然后对照课文，看填得是否正确：

以　对　把　被　从

1.（　　）宏观上来看，希腊文化延续发展为西方文化，欧美都属于西方文化的范畴。

2.西方文化从文艺复兴以来，已经兴盛了几百年，（　　）世界生产力提高到了空前的水平。

3.在今天，西方文化已逐渐呈现出强弩之末的样子。具体表现是（　　）西方文化为主导的世界出现了很多威胁人类生存的弊端。

4.森林（　　）过度砍伐、江河湖海受到污染、动植物种不断灭绝、新疾病频繁出现等等，所有这些都威胁着人类的发展甚至生存。

5.比方说，在医学上，西医是头痛医头，脚痛医脚，完全（　　）人体分割开来，用一个成语来说就是，只见树木，不见森林。

6.中医则往往是头痛治脚，脚痛治头，（　　）人体当做一个整体来看待，既见树木，又见森林。

7.应当在这种指导思想下进行，牢记过去惨痛的教训，千方百计，尽最大的努力，（　　）弊害加以抑制。

二、请你先读下面这段课文，注意黑体字的作用，然后根据后面的提示，完成练习。

a)西方文化产生这些弊端**的原因，在于**其基本思维模式。b)**简而言之**，我认为，东方的思维模式是综合的，它照顾到了事物的整体，有全局观念，中国"天人合一"的思想是典型的东方思想。而西方的思维模式则是分析的，它抓住一个东西，特别是物质的东西，不断地分析下去，分析到极其细微的程度，可是往往忽视了整体联系。c)**比方说**，在医学上，西医是头痛医头，脚痛医脚，完全把人体分割开来，用一个成语来说就是，只见树木，不见森林。而中医则往往是头痛治脚，脚痛治头，把人体当做一个整体来看待，既见树木，又见森林。二者的差异，显而易见。d)不仅在医学上，这个区别表现在各个方面，**再比如**，在社会发展上，东方哲学主张"天人合一"，西方则提倡征服自然。对大自然穷追猛打，从表面上来看，在一段时间内可能是成功的，大自然被迫满足了人类物质生活的需求，日子越过越红火，但是久而久之，却产生了以上种种危及人类生存的弊端。

> *在这一段课文中，a)是这一段的主题，b)是对主题的进一步说明，c) d)则是两个例证。请你仿照这个段落的结构，使用文中的黑体字，在下面的两个题目中任选一个，写一段500—600字左右的文章。

★ 环境污染的根源
★ 战争的根源

阅读 副课文

中国哲学的背景

《论语》(lúnyǔ)说："**子曰**(zǐyuē)：知者乐水，仁者乐山；知者动，仁者静；知者乐，仁者寿。"

读这段话，我悟出其中的一些道理，暗示着古代中国人和古代希腊人的不同。中国是大陆国家，古代中国人以为，他们的国土就是世界。汉语中有两个词语都可以译成"世界"。一个是"天下"，另一个是"四海之内"。海洋国家的人，如希腊人，也许不能理解这几个词语竟然是同义词，但是这种事就发生在汉语里，而且是不无道理的。

古代中国和希腊的哲学家不仅生活于不同的地理条件，也生活于不同的经济条件。

由于中国是大陆国家，中华民族只有以农业为生。

《论语》：记录孔子言行的书籍，儒家重要的经典

子曰：孔子说

者：……的人

甚至今天中国人口中从事农业的估计占百分之七十到八十。在农业国，土地是财富的根本基础。所以贯穿(guànchuān)在中国历史中社会、经济的思想和政策的中心总是围绕着土地的利用和分配。

贯穿：从头到尾穿过一个或一系列事物

在这样一种经济中，农业不仅在和平时期重要，在战争时期也一样重要。战国时期(公元前480—前222年)，当时中国分成许多封建王国，每个国家都高度重视所谓的"耕战(gēngzhàn)之术"。最后，七雄(qīxióng)之一的秦国在耕战两方面都获得优势，结果胜利地征服了其他各国，实现了中国历史上的第一次统一。

耕战之术：农业和军事方法
七雄：战国时期七个最主要的国家

在中国社会、经济思想中，有所谓的"本""末"之别。"本"指农业，"末"指商业。区别本末的理由是，农业关系到生产，而商业只关系到交换。在交换之前，必须先有生产。在农业国家里，农业是生产的主要形式，所以中国古代的社会、经济理论和政策大都是主张"重本轻末"的。

从事末作(mòzuō)的人，即商人，因此都受到轻视。社会有四个传统的阶级，即士、农、工、商，商是其中最下一个等级。士通常就是指当官有职位的人和读书人，农就是实际耕种土地的农民。在中国，这是两种光荣的职业。一个家庭若能"耕读传家"，那是值得自豪的。"士"虽然本身并不实际耕种土地，可是由于他们通常是地主，他们的命运也系于农业。收成的好坏关系着他们命运的好坏，所以他们对宇宙的反应，对生活的看法，在本质上就是"农"的反应和看法。加上他们所受的教育，他们可以把实际耕种的

末作：旧时指工商业

耕读传家：把从事农业和读书作为家庭的传统

"农"所感受到而自己又不能表达的东西表达出来。这些思想体现在中国古代哲学、文学著作中，或其他艺术形式中。

农民只能靠土地为生，而土地是不能移动的，作为"士"的地主也是如此，除非他有特殊的才能，否则他们只能祖祖辈辈生活在那个地方。这就是说，由于经济的原因，一家几代人都要生活在一起。这样就发展起了中国的家族制度，它无疑是世界上关系最复杂、组织极有序的制度之一。在儒家学说中有相当多的内容是论证这种制度合理性的，和对这种社会制度加以理论说明的。

古代家族制度是中国社会制度的直接体现。传统的五种社会关系：<u>君臣</u>(jūnchén)、父子、兄弟、夫妇、朋友，其中三种是家族关系。其余两种，实际是家族关系的扩展，因此也可以按照家族来理解。君臣关系可以按照父子关系来理解，朋友关系可以按照兄弟关系来理解。在通常人们也真的是这样来理解的。但是这几种不过是主要的家族关系，另外还有许许多多。公元前有一部最早的汉语词典《尔雅》(Ěryǎ)，其中表示各种家族关系的名词有一百多个，而大多数在英语里都没有直接相当的词。

君臣：国王和下属官员

由于同样的原因，<u>祖先</u>(zǔxiān)崇拜也发展起来了。居住在某地的一个家族，所崇拜的祖先通常就是这个家族中第一个将全家定居此地的人。这样他就成了这个家族团结的象征，这样的一个象征是一个又大又复杂的组织必不可少的。

祖先：民族或家族较早的上代

儒家学说的大部分内容都在论证这种社会制度的合理性，或者是这种制度的理论说明。经济条件打下了它的基础，儒家学说说明了它的<u>伦理</u>(lúnlǐ)意义。由于这种社会制度是一定的经济条件的产物，而这些条件又是其地理环境的产物，所以对于中华民族来说，这种制度及其理论说明，都是很自然的。因此，儒家学说自然而然成为中国的正统哲学。

伦理：人际关系中的道德准则

（选自冯友兰《中国哲学简史》，因教材需要有删改。）

讨论题

1.中国的地理环境和古希腊有什么不同？
2.中国传统的经济有什么特点？
3.农业社会对中国的哲学有什么影响？
4.你对东西方文化差异有什么看法？

附录1　词汇总表

音序	词	音	所在课序号
A	癌症	āizhèng	10 副*
	安慰	ānwèi	5
	暗示	ànshì	10
	盎然	àngrán	5
	奥运会	Àoyùnhuì	6
B	白日梦	báirìmèng	6
	白象街	Báixiàng Jiē	2 副
	扮演	bànyǎn	11
	绑	bǎng	6 副
	宝贝	bǎobèi	5
	保持	bǎochí	6
	保佑	bǎoyòu	9
	报到	bàodào	1
	抱怨	bàoyuàn	10
	爆炸	bàozhà	3
	悲伤	bēishāng	4
	背景	bèijǐng	4
	奔跑	bēnpǎo	6
	奔腾	bēnténg	4 副
	本能	běnnéng	10
	比方说	bǐfangshuō	8
	比例	bǐlì	8 副
	毕竟	bìjìng	8
	弊端	bìduān	12
	碧绿	bìlǜ	5
	鞭炮	biānpào	7
	贬	biǎn	9
	变化多端	biànhuà duōduān	8
	表兄	biǎoxiōng	9

*副：指副课文

223

别	bié	1
别扭	bièniu	6
剥夺	bōduó	6 副
跛	bǒ	6 副
捕鱼	bǔ yú	3
不动产	búdòngchǎn	3
不简单	bùjiǎndān	8
不尽然	bújìnrán	2
不屈	bùqū	6
不祥	bùxiáng	11
不屑	búxiè	7
不由得	bùyóude	1
不约而同	bù yuē ér tóng	1

C

财富	cáifù	3
采访	cǎifǎng	4
菜肴	càiyáo	7
残疾	cánjí	6
惨	cǎn	6
惨痛	cǎntòng	12
操心	cāo xīn	2
嘈杂	cáozá	4 副
差异	chāyì	12
蝉	chán	4
长亭	chángtíng	5
肠道	chángdào	10
场面	chǎngmiàn	6
唱片	chàngpiàn	4 副
刹那	chànà	5
超声波	chāoshēngbō	1
超市	chāoshì	8
超越	chāoyuè	6
潮	cháo	4
呈现	chéngxiàn	12

承认	chéngrèn	2
驰骋	chíchěng	1 副
迟钝	chídùn	6 副
耻辱	chǐrǔ	6 副
充实	chōngshí	2
冲突	chōngtū	4
崇拜	chóngbài	6
崇山峻岭	chóngshān jùnlǐng	5 副
抽屉	chōuti	8
出乱子	chū luànzi	11
出卖	chūmài	11
出远门	chū yuǎnmén	9
出租	chūzū	8
除非	chúfēi	8
储量	chǔliàng	10
处理	chǔlǐ	12
触电	chù diàn	5
传媒	chuánméi	9
传染病	chuánrǎnbìng	3 副
传授	chuánshòu	9
吹口哨	chuī kǒushào	11
纯粹	chúncuì	8 副
慈悲	cíbēi	10
刺激	cìjī	8 副、10
匆匆	cōngcōng	2 副
粗略	cūlüè	3
醋	cù	8
簇拥	cùyōng	6

D

打包	dǎ bāo	8
打断	dǎduàn	5
打嗝儿	dǎ gér	8

打官司	dǎ guānsi	8
打哈欠	dǎ hāqian	8
打架	dǎ jià	8
打交道	dǎ jiāodao	8
打猎	dǎ liè	3 副
打喷嚏	dǎ pēnti	8
打招呼	dǎ zhāohu	8
大胆	dàdǎn	5
大调	dàdiào	4 副
大吉大利	dàjídàlì	11
大惊小怪	dàjīngxiǎoguài	7
大开眼界	dàkāiyǎnjiè	3
大厦	dàshà	11
呆	dāi	5
代之而起	dàizhīérqǐ	12
单纯	dānchún	4
诞生	dànshēng	12
淡薄	dànbó	9
淡水	dànshuǐ	12
蛋白质	dànbáizhì	10
当真	dàngzhēn	11
倒霉	dǎo méi	11
倒装	dàozhuāng	1
道教	Dàojiào	9
道听途说	dàotīngtúshuō	9
的确	díquè	8
滴	dī	11
地道	dìdao	7
地狱	dìyù	6 副
典型	diǎnxíng	12
电脑	diànnǎo	7
电线杆	diànxiàngān	5
惦记	diànjì	11
吊床	diàochuáng	4

丁当	dīngdāng	3
钉	dìng	11
动脉硬化	dòngmài yìnghuà	10
动摇	dòngyáo	6
独奏	dúzòu	4
端倪	duānní	12
断裂	duànliè	9

E

恶劣	èliè	10

F

发财	fā cái	7
发挥	fāhuī	10
发毛	fā máo	1
发射	fāshè	3
法号	fǎhào	7 副
法则	fǎzé	10
番	fān	6
番茄	fānqié	8 副
凡是	fánshì	8
繁星	fánxīng	4
繁重	fánzhòng	3
反驳	fǎnbó	7
反观	fǎnguān	4
反抗	fǎnkàng	7
反应	fǎnyìng	5
饭馆	fànguǎnr	8
饭盒	fànhé	8
范畴	fànchóu	12
妨害	fánghài	10
仿佛	fǎngfú	4
放弃	fàngqì	1
费尽心机	fèi jìn xīn jī	1
分泌	fēnmì	10

坟墓	fénmù	9
愤怒	fènnù	10
丰满	fēngmǎn	4
丰盛	fēngshèng	7
风格	fēnggé	4
疯狂	fēngkuáng	7
锋利	fēnglì	10
逢年过节	féngnián guòjié	9
佛	fó	8 副、9
佛教	Fójiào	9
符合	fúhé	2
父老乡亲	fùlǎoxiāngqīn	9

G

钙	gài	10 副
概念	gàiniàn	1
干脆	gāncuì	1
甘美	gānměi	2
钢琴	gāngqín	8
高尔夫球	gāo'ěrfū qiú	8
高尚	gāoshàng	2
高血压	gāoxuèyā	10
格言	géyán	7 副
根源	gēnyuán	6
耕读传家	gēng dú chuánjiā	12 副
耕战之术	gēng zhàn zhī shù	12 副
公顷	gōngqǐng	3
公寓	gōngyù	9
功劳	gōngláo	3
恭敬	gōngjìng	11
构词	gòucí	8
姑且	gūqiě	10
孤单	gūdān	5
孤独	gūdú	3

古典	gǔdiǎn	4 副
观测	guāncè	3
观音岩	Guānyīn yán	2 副
贯穿	guànchuān	12 副
罐	guàn	11
光彩	guāngcǎi	11 副
光环	guānghuán	11
轨道	guǐdào	3
滚雪球	gǔn xuěqiú	2
果然	guǒrán	7

H

海报	hǎibào	2 副
海滨	hǎibīn	4
海带	hǎidài	10 副
海鸥	hǎi'ōu	4
海市蜃楼	hǎi shì shèn lóu	3
寒舍	hánshè	7
毫无	háo wú	8
毫无动静	háowú dòngjing	2 副
好汉	hǎohàn	5 副
好奇	hàoqí	1
好样儿	hǎoyàngr	6
何必	hébì	7 副
核弹头	hédàntóu	3
核桃仁	hétáo rénr	10 副
荷花	héhuā	3 副
黑客	hēikè	8 副、9
恨不得	hènbùdé	6
红火	hónghuo	12
宏观	hóngguān	12
呼应	hūyìng	2
忽略	hūlüè	6 副
忽视	hūshì	12

糊涂	hútu	7 副
互补	hùbǔ	12
花生	huāshēng	10
华侨	huáqiáo	7
滑冰	huá bīng	6
化肥	huàféi	3 副
化妆	huàzhuāng	11
怀	huái	5
怀孕	huái yùn	1
欢呼	huānhū	3
唤醒	huànxǐng	4
荒诞	huāngdàn	11 副
荒岛	huāngdǎo	2
黄	huáng	2
黄昏	huánghūn	3
恍如隔世	huǎngrúgéshì	6 副
挥舞	huīwǔ	6
晦气	huìqì	11
毁灭	huǐmiè	3
婚丧嫁娶	hūnsāngjiàqǔ	9
活力	huólì	4
活泼	huópo	2
祸源	huòyuán	10

J

肌肉	jīròu	7
积极	jījí	2
基督教	Jīdūjiào	11
基督徒	Jīdūtú	11
基因	jīyīn	8 副
激光	jīguāng	4 副
吉祥	jíxiáng	11
吉凶	jíxiōng	11
即	jí	9

即将	jíjiāng	3
极	jí	8
极其	jíqí	12
己所不欲，勿施与人	jǐsuǒbúyù, wùshīyǔrén	10
计较	jìjiào	7 副
记录	jìlù	6
忌讳	jìhuì	11
寂寞	jìmò	3
祭祀	jìsì	9
加以	jiāyǐ	12
家畜	jiāchù	3 副
家伙	jiāhuo	7
家教	jiājiào	11
家族	jiāzú	9
假仁假义	jiǎrén jiǎyì	1 副
假若	jiǎruò	6
假惺惺	jiǎ xīngxīng	1 副
假正经	jiǎ zhèngjing	1 副
坚果	jiānguǒ	10 副
艰难	jiānnán	6 副
剪刀	jiǎndāo	5
简而言之	jiǎn'éryánzhī	12
简化	jiǎnhuà	8
碱性	jiǎnxìng	10
见闻	jiànwén	9
健美	jiànměi	6
箭	jiàn	8
讲究	jiǎngjiu	7 副
酱油	jiàngyóu	8
交涉	jiāoshè	8
交响乐	jiāoxiǎngyuè	4
焦急	jiāojí	1 副
教堂	jiàotáng	4
教养	jiàoyǎng	7
结结巴巴	jiējie bābā	1

接吻	jiē wěn	4 副
杰作	jiézuò	5 副
紧迫	jǐnpò	1 副
尽然	jìnrán	2
经典	jīngdiǎn	9
惊讶	jīngyà	1
警告	jǐnggào	1
境界	jìngjiè	2
纠纷	jiūfēn	8
久而久之	jiǔérjiǔzhī	10
就	jiù	10 副
居然	jūrán	5
局限	júxiàn	6
沮丧	jǔsàng	5
举动	jǔdòng	10
巨大	jùdà	9
捐	juān	7
卷入	juǎnrù	10 副
决赛	juésài	6
绝对	juéduì	2
君臣	jūnchén	12 副

K

开端	kāiduān	9
砍伐	kǎnfá	12
康乃馨	kāngnǎixīn	1
慷慨	kāngkǎi	3
可见	kějiàn	8
可惜	kěxī	5
可遇而不可求	kěyù ěr bù kěqiú	2
渴望	kěwàng	6 副
刻薄	kèbó	9 副
空洞	kōngdòng	2
空难	kōngnàn	11

空前	kōngqián	12
恐怖	kǒngbù	10
口罩	kǒuzhào	3 副
枯萎	kūwěi	3 副
哭泣	kūqì	3
酷	kù	9
矿物质	kuàngwùzhì	10
匮乏	kuìfá	12
捆	kǔn	8
困惑	kùnhuò	1

L

来世	láishì	6
来往	láiwǎng	8
来源	láiyuán	10
浪漫	làngmàn	9
类似	lèisì	5 副
冷落	lěngluò	6
愣	lèng	1
礼仪	lǐyí	9
理所当然	lǐsuǒdāngrán	10
理直气壮	lǐzhíqìzhuàng	7
荔枝	lìzhī	9
连忙	liánmáng	1
晾	liàng	11
疗养院	liáoyǎngyuàn	1
列	liè	3
拎	līn	6 副、8
灵魂	línghún	6
灵通	língtōng	2
领悟	lǐngwù	6
流逝	liúshì	6 副
露马脚	lòu mǎjiǎo	2
炉灶	lúzào	7
鹿	lù	3 副

伦理	lúnlǐ	9、12 副
轮回	lúnhuí	11 副
论调	lùndiào	10 副
落伍者	luòwǔzhě	4 副

M

麻将	májiàng	8
马鞭	mǎbiān	11
漫画	mànhuà	9
茫然	mángrán	6
茂密	màomì	3 副、4
没落	mòluò	12
美中不足	měizhōngbùzú	2
魅力	mèilì	6
闷闷不乐	mènmènbúlè	6
朦胧	ménglóng	5
弥撒曲	mísaqǔ	4 副
迷信	míxìn	11
勉励	miǎnlì	6 副
面对	miànduì	5
面临	miànlín	12
庙	miào	9
灭绝	mièjué	12
明智	míngzhì	10
命	mìng	2
命脉	mìngmài	10
模范	mófàn	2
模式	móshì	12
末作	mòzuò	12 副
陌生	mòshēng	9
莫名其妙	mòmíngqímiào	1
木棒	mùbàng	2 副
木耳	mù'ěr	10 副
目瞪口呆	mùdèngkǒudāi	1

N

纳闷	nàmènr	1
南国	nánguó	5
难得	nándé	2
难免	nánmiǎn	11
难以	nányǐ	8
碾	niǎn	6 副
宁可	nìngkě	11
妞妞	niūniu	1 副

O

偶尔	ǒu'ěr	4
偶然	ǒurán	5 副
偶像	ǒuxiàng	6

P

拍摄	pāishè	5 副
盘问	pánwèn	7
盘旋	pánxuán	5 副
庞大	pángdà	4
佩服	pèifú	7
烹制	pēngzhì	10 副
碰	pèng	11
偏爱	piān'ài	4
偏偏	piānpiān	11
拼命	pīnmìng	7
拼写	pīnxiě	1
频繁	pínfán	12
品学兼优	pǐnxuéjiānyōu	2
屏幕	píngmù	1
破除	pòchú	11
破灭	pòmiè	5 副
扑克	pūkè	8
菩萨	púsà	9
普天下	pǔ tiānxià	11

Q

七姑八姨	qīgū bāyí	9
七雄	qīxióng	12 副
欺侮	qīwǔ	10
奇异	qíyì	3
歧义	qíyì	1 副
祈祷	qídǎo	6
祈求	qíqiú	9
旗帜	qízhì	6
气氛	qìfēn	2
器官	qìguān	10
恰恰	qiàqià	2
千方百计	qiānfāngbǎijì	12
千万	qiānwàn	7
谦虚	qiānxū	7
腔调	qiāngdiào	5
强烈	qiángliè	10
强弩之末	qiángnǔzhīmò	12
桥牌	qiáopái	8
俏皮话	qiàopíhuà	4 副
侵犯	qīnfàn	11
秦俑	Qínyǒng	9
青睐	qīnglài	11 副
轻缓	qīnghuǎn	4
清澈	qīngchè	3 副
清单	qīngdān	3
清点	qīngdiǎn	3
晴朗	qínglǎng	3
穷追猛打	qióngzhuīměngdǎ	12
求签	qiú qiān	11
趣味	qùwèi	2
圈子	quānzi	9
全局	quánjú	12
全能	quánnéng	6
拳击	quánjī	6

犬子	quǎnzǐ	7
劝架	quàn jià	2 副
缺乏	quēfá	2
缺席	quēxí	6
瘸子	quézi	6 副

R

燃烧	ránshāo	6
人类学	rénlèi xué	11
荣誉	róngyù	2
容器	róngqì	8
容许	róngxǔ	7
柔韧	róurèn	7
如日中天	rúrìzhōngtiān	12
儒家	Rújiā	9
入时	rùshí	4 副
弱肉强食	ruòròuqiángshí	10

S

赛马	sài mǎ	11
三步当作两步	sān bù dàng zuò liǎng bù	2 副
三十年河东，三十年河西	sānshí nián hédōng, sānshí nián héxī	12
散文	sǎnwén	9
扫帚	sàozhou	7
色彩	sècǎi	9
杀虫剂	shāchóngjì	3 副
沙锅	shāguō	7
沙拉	shālā	10 副
沙漠	shāmò	3
傻里傻气	shǎlishǎqì	7
上帝	shàngdì	3
烧香	shāo xiāng	11
奢侈	shēchǐ	9
舍不得	shěbude	5

社交	shèjiāo	9
深沉	shēnchén	5
深信不疑	shēnxìnbùyí	5 副
神秘	shénmì	11 副
生产力	shēngchǎnlì	12
生理	shēnglǐ	8
生态平衡	shēngtài pínghéng	12
生肖	shēngxiào	11 副
圣火	shènghuǒ	6
圣经	Shèngjīng	11
盛	shèng	4
尸骨	shīgǔ	3
失手	shīshǒu	11
十字架	shízìjià	11
世俗	shìsú	4 副
事先	shìxiān	8
视野	shìyě	3
室内乐	shìnèiyuè	4
嗜好	shìhào	7
手势	shǒushì	8
蔬果	shūguǒ	10
熟人	shúrén	9
衰落	shuāiluò	12
双重奏	shuāngchóngzòu	4
顺便	shùnbiàn	6
顺口溜儿	shùnkǒuliūr	9 副
瞬间	shùnjiān	4
四合院儿	sìhéyuànr	9
似乎	sìhū	8
似曾相识	sìcéngxiāngshí	9
送别	sòngbié	5
俗话	súhuà	5 副
素	sù	10
酸性	suānxìng	10
算盘	suànpán	7
损耗	sǔnhào	10
损人利己	sǔnrénlìjǐ	10

T	塔	tǎ	8 副
	太极拳	tàijíquán	7
	太空	tàikōng	3
	谈吐	tántǔ	7
	弹性	tánxìng	10
	叹气	tànqì	7 副
	糖尿病	tángniàobìng	10 副
	逃避	táobì	4
	讨	tǎo	11
	套	tào	11
	梯子	tīzi	11
	啼笑皆非	tíxiàojiēfēi	1
	提倡	tíchàng	12
	体会	tǐhuì	5
	体系	tǐxì	12
	体育迷	tǐyùmí	6
	天长地久	tiāncháng dìjiǔ	11
	天人合一	tiānrénhéyī	12
	天生	tiānshēng	10
	天文	tiānwén	3
	天涯若比邻	tiānyá ruò bǐlín	9
	田径	tiánjìng	6
	田野	tiányě	4
	田园诗	tiányuán shī	9
	调	tiáo	4
	挑战	tiǎozhàn	6
	铁棒磨成针	tiěbàng mó chéng zhēn	9 副
	听话	tīnghuà	7
	同义词	tóngyìcí	8
	童年	tóngnián	4
	头痛医头，脚痛医脚	tóu tòng yītóu, jiǎo tòng yījiǎo	12
	途径	tújìng	9
	屠宰场	túzǎi chǎng	10 副
	推荐	tuījiàn	10 副
	脱口而出	tuōkǒu'érchū	6 副
	驼铃	tuólíng	3
	唾液	tuòyè	11

W

蛙鸣	wāmíng	4
瓦	wǎ	9 副
外婆	wàipó	5
外人	wàirén	6
外行	wàiháng	2
蜿蜒	wānyán	5 副
网络	wǎngluò	9
危害	wēihài	10
危机	wēijī	10
危及	wēijí	12
危难	wēinàn	5 副
威胁	wēixié	12
惟一	wéiyī	5
维生素	wéishēngsù	10
尾	wěi	5
卫星	wèixīng	3
温和	wēnhé	4
温柔	wēnróu	5
文艺复兴	wényì fùxīng	12
乌鸦	wūyā	11
污染	wūrǎn	3
无辜	wúgū	3
无为	wúwéi	4
五行	wǔxíng	1 副
舞蹈	wǔdǎo	6
物质	wùzhì	12
物种	wùzhǒng	12

X

溪流	xīliú	4
洗礼	xǐlǐ	4 副
喜出望外	xǐchūwàngwài	2
戏剧界	xìjù jiè	11
细腻	xìnì	2 副、4

细微	xìwēi	12
细雨绵绵	xìyǔ miánmián	3
瞎子	xiāzi	11
纤维	xiānwéi	10 副
显而易见	xiǎnéryìjiàn	12
显灵	xiǎn líng	11
现场	xiànchǎng	4
限于	xiànyú	8
羡慕	xiànmù	6
乡下	xiāngxia	5
相反	xiāngfǎn	10
项目	xiàngmù	6
象征	xiàngzhēng	11
像样儿	xiàng yàngr	7
消灭	xiāomiè	12
消遣	xiāoqiǎn	4 副
潇洒	xiāosǎ	6
小调	xiǎodiào	4 副
小儿科	xiǎo'érkē	7
小提琴	xiǎotíqín	4 副、8
笑嘻嘻	xiàoxīxī	7 副
协奏曲	xiézòuqǔ	4 副
谐音	xiéyīn	11
写生	xiěshēng	5
心得	xīndé	5
心脏病	xīnzàngbìng	10
辛苦	xīnkǔ	7
新陈代谢	xīnchéndàixiè	10
新文化运动时期	Xīn Wénhuà Yùndòng Shíqī	8 副
新颖	xīnyǐng	3
信笺	xìnjiān	6 副
兴奋	xīngfèn	5
兴盛	xīngshèng	12
行为	xíngwéi	8

杏仁儿	xìngrénr	10 副
幸而	xìng'ér	2 副
凶兆	xiōngzhào	11
雄壮	xióngzhuàng	4
休闲	xiūxián	9
秀	xiù	9
序曲	xùqǔ	4
畜牧业	xùmùyè	10
雪亮	xuěliàng	7
血液	xuèyè	10

Y

鸦片	yāpiàn	8 副
淹	yān	3
延续	yánxù	9
掩埋	yǎnmái	3
演奏	yǎnzòu	4
燕子	yànzi	5
养活	yǎnghuo	10
遥远	yáoyuǎn	9
要命	yào mìng	7
野味	yěwèi	3 副
液体	yètǐ	8
一成不变	yìchéngbúbiàn	12
一举两得	yìjǔliǎngdé	2
一连	yìlián	5
一无所长	yìwúsuǒcháng	7
伊甸园	Yīdiànyuán	11
咿呀学语	yīyā xuéyǔ	5
仪式	yíshì	4 副
遗产	yíchǎn	3
以柔克刚	yǐróukègāng	7
抑制	yìzhì	12
意味着	yìwèizhe	6
意志	yìzhì	6

隐患	yǐnhuàn	10
隐私	yǐnsī	7
婴儿	yīng'ér	1
永恒	yǒnghéng	4
永世长存	yǒngshìchángcún	12
优美	yōuměi	6
优质	yōuzhì	10
幽默	yōumò	2
油漆	yóuqī	11
有份儿	yǒu fènr	1
有意义	yǒu yìyì	10
诱发	yòufā	10
宇航员	yǔhángyuán	5 副
羽毛	yǔmáo	5
与日俱增	yǔrìjùzēng	6
与世无争	yǔshìwúzhēng	5
宇宙	yǔzhòu	3
愈	yù	10 副
欲望	yùwàng	6
预言	yùyán	12
寓言	yùyán	3 副
预兆	yùzhào	11
园林	yuánlín	9
原始	yuánshǐ	6
源头	yuántóu	9
晕头转向	yūntóuzhuànxiàng	6 副
熨	yùn	6 副

Z

灾	zāi	11
宰杀	zǎishā	10
再版	zàibǎn	4
赞美	zànměi	7
糟	zāo	1
贼	zéi	2 副
炸药	zhàyào	7
窄	zhǎi	2
沾边儿	zhān biānr	8

展现	zhǎnxiàn	6
崭新	zhǎnxīn	10
哲学家	zhéxuéjiā	7
者	zhě	12 副
真相	zhēnxiàng	5
征服	zhēngfú	12
政客	zhèngkè	7
吱吱喳喳	zhīzhī zhāzhā	4
知识分子	zhīshifēnzǐ	9
脂肪	zhīfáng	10
直径	zhíjìng	3
只见树木，不见森林	zhǐjiàn shùmù, bújiàn sēnlín	12
秩序	zhìxù	9
中和	zhōnghé	10
中药铺	zhōngyàopù	7
众所周知	zhòngsuǒzhōuzhī	10
主导	zhǔdǎo	12
主张	zhǔzhāng	12
嘱咐	zhǔfù	5
注视	zhùshì	5
爪牙	zhǎoyá	10
赚钱	zhuàn qián	7
庄稼	zhuāngjia	10 副
庄严	zhuāngyán	4
装饰品	zhuāngshìpǐn	2 副
撞	zhuàng	11
撞击	zhuàngjī	8
拙作	zhuōzuò	7
子曰	zǐ yuē	12 副
自豪	zìháo	7
自豪感	zìháogǎn	5 副
自讨苦吃	zìtǎokǔchī	11
奏鸣曲	zòumíngqǔ	4 副
揍	zòu	8
祖先	zǔxiān	12 副
作主	zuò zhǔ	6 副

附录2　专有名词英汉对照索引表

英文	中文	拼音	所在课序号
Adam	亚当	Yàdāng	11
Andersen	安徒生	Āntúshēng	9 副
Arabia	阿拉伯	Ālābó	12
Asia Minor	小亚细亚	Xiǎo Yàxìyà	11 副
Bach	巴赫	Bāhè	4 副
Beethoven	贝多芬	Bèiduōfēn	4 副
Bible	圣经	Shèngjīng	11
Buddhism	佛教	Fójiào	9
	嫦娥	Cháng'é	7
Comfucius	孔子	Kǒng Zǐ	10、12 副
Confucianists	儒家	Rújiā	9
Christianity	基督教	Jīdūjiào	11
Defoe	丹佛	Dānfó	2
	尔雅	Ěryǎ	12 副
Eve	夏娃	Xiàwá	11
Friday	礼拜五	Lǐbàiwǔ	2
Garden of Eden	伊甸园	Yīdiànyuán	11
Greece	希腊	Xīlà	11 副、12
	关公	Guāngōng	11
	汉	Hàn	1
India	印度	Yìndù	12
Islamic	伊斯兰	Yīsīlán	12
Jerusalem	耶路撒冷	Yēlùsālěng	11 副
Jesus	耶稣	Yēsū	11
Johnson	约翰逊	Yuēhànxùn	6
José	荷西	Héxī	1
Judas	犹大	Yóudà	11
	孔融	Kǒng Róng	9 副
Lewis	刘易斯	Liúyìsī	6
	李白	Lǐ Bái	9 副

	论语	Lúnyǔ	12 副
Malaysia	马来西亚	Mǎláixīyà	7
Manhattan	曼哈顿	Mànhādùn	1
Maria	玛丽亚	Mǎlìyà	1
McDonald's	麦当劳	Mài dāng láo	9
Mozart	莫扎特	Mòzhātè	4 副
Olympic Games	奥运会	Āoyùnhuì	6
Olympus	奥林匹斯山	Āolínpǐsī Shān	6
Robinson Crusoe	鲁滨逊漂流记	Lǔbīnxùn piāoliújì	2
Robinson	鲁滨逊	Lǔbīnxùn	2
Renaissance	文艺复兴	Wényìfùxīng	12
	司马光	Sīmǎ Guāng	9 副
Singapore	新加坡	Xīnjiāpō	7
	苏轼	Sū Shì	9
	唐	Táng	1
Taoism	道教	Dàojiào	9
Tchaikovsky	柴可夫斯基	Cháikěfūsījī	4 副
	张艺谋	Zhāng Yìmóu	9

附录 3　语言点索引

附录4　　语素和词

1.安	ān	安慰	5		31.裂	liè	断裂	9
2.保	bǎo	保持	6		32.灵	líng	灵通	2
3.奔	bēn	奔跑	6		33.迷	mí	体育迷	6
4.弊	duān	弊端	12		34.铺	pù	中药铺	7
5.财	cái	财富	3		35.弃	qì	放弃	1
6.端	duān	开端	9		36.侵	qīn	侵犯	11
7.发	fā	发毛	1		37.然	rán	茫然	6
8.乏	fá	匮乏	12		38.涉	shè	交涉	8
9.繁	fán	繁星	4		39.深	shēn	深沉	5
10.丰	fēng	丰盛	7		40.视	shì	忽视	12
11.孤	gū	孤单	5		41.熟	shú	熟人	9
12.观	guān	观测	3		42.衰	shuāi	衰落	12
13.馆	guǎn	饭馆	8		43.私	sī	隐私	7
14.轨	guǐ	轨道	3		44.素1	sù	吃素	10
15.行	háng	外行	2		45.素2	sù	维生素	10
16.核	hé	核弹头	3		46.危	wēi	危机	10
17.化	huà	简化	8		47.味	wèi	趣味	2
18.欢	huān	欢愉	4		48.温	wēn	温柔	5
19.患	huàn	隐患	10		49.闻	wén	见闻	9
20.荒	huāng	荒岛	2		50.兴	xīng	兴盛	12
21.祸	huò	祸源	10		51.型	xíng	大型	4
22.吉	jí	吉祥	11		52.性	xìng	复杂性	8
23.简	jiǎn	简化	8		53.雄	xióng	雄壮	4
24.界	jiè	戏剧界	11		54.遗	yí	遗产	3
25.惊	jīng	惊讶	1		55.隐	yǐn	隐私	7
26.精	jīng	精彩	6		56.优	yōu	优质	10
27.警	jǐng	警告	1		57.预	yù	预兆	11
28.科	kē	小儿科	7		58.源	yuán	源头	9
29.可	kě	可惜	5		59.兆	zhào	预兆	11
30.疗	liáo	疗养院	1		60.奏	zòu	演奏	4